テックラッシュ戦記

The meaning of techlash

Amazonロビイストが日本を動かした方法

渡辺弘美
watanabe hiroyoshi

中央公論新社

はじめに
――霞が関を経てアマゾンで学んだこと

各国で程度の差こそあれども、アマゾンを巡る批判が今なお絶えない。
例えば、こんな声だ。

- 街の書店などを廃業に追い込んでいるのではないか、
- 自社優遇により出品者に不利益をもたらしているのではないか、
- 偽造品や粗悪品販売の温床になっているのではないか、
- 物流センターのワーカーや配達ドライバーに、過酷な労働を強いているのではないか、
- 巨額な売上がありながら納税を回避しているのではないか、
- ダークパターンにより、悪意をもって消費者をプライム会員に誘導しているのではな

いか、

などなど。

はじめにお断りしておくが、本書はこれらの批判に反論しアマゾンを擁護することを目的とするものではない。アマゾンの成長を礼賛するものでもないし、アマゾンを卒業した身として、内情を暴露するものでもない。メディアや一部政治家のテックラッシュ運動の是非を論じるものでもない。

ちなみに、テックラッシュとは、あまり日本では使われていないが、アマゾンなどの米国のビッグテック企業に対する反発（バックラッシュ）を指す言葉である。また、この本はアマゾンのような米国テック企業の行く末を案じたり、次世代の産業構造を予測したりするものでもない。本書は、テックラッシュの嵐の中でアマゾンで働いた私の経験を振り返り、いずれ迎えるポスト・テックラッシュの時代を見据えて、日本再興のために官民双方が取り組むべき課題があるのではないかという思いから書いたものである。

私は、リーマンショック直後の２００８年10月1日、それまで21年余り勤めてきた経済産業省（入省したときは通商産業省）を自己都合退職し、霞が関とは180度異なるアマゾンの関連日本法人であるアマゾンジャパン株式会社（当時）に転職した。アマゾンではパブリックポリシーと呼ばれる公共政策チームの日本の責任者として採用された。

経済産業省での仕事は、激務ではあったがやりがいに溢れ毎日が充実しており、自分を成長させてくれた職場であったと感謝している。在任中に日本貿易振興機構（ジェトロ）のニューヨークセンターに赴任する機会を得た折、当時Ｗｅｂ２・０と呼ばれた変革を目の当たりにし、自分のキャリアについても考えるようになった。霞が関で法律や予算編成に携わる仕事は、影響力の大きい骨太の仕事ではあった。だが、自分の手がけている仕事が本当に日本の経済社会の現場で役に立っているのだろうかと自問する日もあったし、約2年単位で部局を異動しなければならないジェネラリスト育成の人事に将来の不安を覚えることもあった。

幸いニューヨーク赴任中にご縁を得て、オンラインの経済紙にＩＴ分野のコラムを定期的に書かせていただき、帰国後にはウェブ技術のトレンドについての書籍出版の機会も得て、いよいよ自分の将来のキャリアは自分で切り拓いていかないといけないと思い至っていた。大学を卒業して当時の通商産業省に就職したときには、自分の生まれ育ったこの日本のためになる仕事をしたいという気持ちでいたが、この青臭い気持ちをもっとビジネスの現場に近いところで実現したいとも思うようになり、たまたま公共政策分野の経験者を日本で探していたアマゾンに転職することにした。
今では霞が関を飛び出してテック企業に転職する人たちは珍しくはなく、日本の行政機関である1府11省2庁のほとんどから課長補佐クラスの若手を中心に内資系、外資系を問わずテック企業に転職しているし、公共政策部門のみならず公共営業などの事業部門に転職する人もいる。中には二つ目三つ目とテック企業を渡り歩く人もいる。テック企業を辞めて、起業している人もいる。ただ、私の転職当時は霞が関からテック企業、とりわけ米国のテック企業に転職する人は他にいなかったと思う。

アマゾンに転職してから15年超にわたる間、2013年あたりから国会議員や各省庁からアマゾンをはじめとする米国テック企業への注目度が高まり、神経を使う交渉をずっと重ねてきた。ときには政府側から出てくる不条理とも思える提案を押し返し、交渉して合理的な着地点を見出したり、逆にアマゾンのほうから政府に対して時代遅れになっている法制度の見直しをお願いしたりすることも多々あった。また、政府を味方につけてアマゾンのミッションを遂行することもあった。振り返れば、国会議員や各省庁の官僚の方々との交渉がピークであったのは、いわゆるデジタルプラットフォームと呼ばれるビジネスモデルに注目が集まっていた時期だと思う。

この本では、まず最初にアマゾンにおける公共政策チームがどういう思考で行動しているのか、私がアマゾンに在籍していた間に、エポックとも言えるようないくつかの具体的な公共政策上の課題について私がどのように考えどのように行動してきたのかを紹介する。が、決して公共政策やロビイングを本書の主テーマとするつもりはない(ちなみに、より幅広いステークホルダーに関わる場合には、「ロビイング」ではなく「パブリックアフェアーズ」と称するほうが正確ではあるが、本書は公共政策の教科書ではないので、ロビイングで統一する)。

むしろ、アマゾンのような一つの米国テック企業から見て、日本政府がテック企業にどう対峙してきたのかを振り返りつつ、果たして一連の日本政府からの政策提案は、日本にとっての成長戦略として意味があったのかを検証する材料を提供したい。また、私自身がアマゾンの社員として会社の成長を目の当たりにする中で、元は霞が関で働いていた人間でもあるという視点から、この企業の成長の秘訣がどこにあるのか、典型的な日本企業との違いがどこにあるのかを度々考えさせられた。世界の時価総額ランキングの中に日本企業の姿が見る影もなくなってしまった「失われた30年」の今、デジタルプラットフォームや生成ＡＩなどの新しいビジネスモデルや技術に対して個別の公共政策上の課題があることを否定はしない。だが、成長戦略としてはそれではまったく不十分であり、もっと構造的な改革に着手する必要があると思う。

また、日本が再興するためには、法制度の課題だけでなく、典型的な日本企業の経営のあり方自体に目を向ける必要があると感じてならない。Ｗｅｂ３・０やＡＩというバズワードが飛び交う中で、現在の米国テック企業の興隆の後に何が起きるのか予想することは難しいが、テックラッシュ時代が過ぎ去った後にもし日本が活躍できるとすれば、これから何をなすべきなのか。明確な答えを持ち合わせている訳ではないが、自分なりの経験から考えるヒントを提供できればと思っている。

なので、この本の目的は、アマゾンのような米国テック企業について分析することでもなく、公共政策やロビイングのテキストを提示することでもなく、日本再興のために何をしたらよいのかを考える一つの材料を提供することである。

第1章で、テックラッシュに対峙するアマゾンの（日本を含めた世界各国の）公共政策チームの輪郭を伝えた上で、第2章では、テック企業の経営戦略における公共政策チームの役割の重要性を、第3章では、テックラッシュ時代にテック企業がどのような視点でロビイングを行っているのかということと、そのために必要な人材について、第4章では、私がアマゾン在籍時代にどのように考えてロビイングを行ってきたのかを具体的なケースを取り上げながら解説する。そして、第5章では、テックラッシュ時代のロビイングを経験して感じる日本の弱点に触れた上で、最終の第6章では、ポスト・テックラッシュ時代に向けて日本再興のために何をなすべきか、個人的な見解としてしたためてみたい。

目次

第1章
テックラッシュに向き合う

アマゾニアンになる

私が入社した2008年当時は、アマゾン内でパブリックポリシーと呼ばれる公共政策チームは世界で私を入れてたったの5人であった。パブリックポリシーというのは、企業によっては「ガバメントアフェアーズ」と呼称している場合もあるが、日本語だと、政策渉外、政府渉外、公共政策などと呼ばれていることが多い。当時は、公共政策を統括するバイスプレジデントが米国ワシントンDCに勤務する他に、米国担当1名、欧州担当1名、中国担当が1名。そして日本担当の私を入れて合計5名であった。現在のアマゾンの収益を支えるアマゾン ウェブ サービス（AWS）と呼ばれるクラウドコンピューティング事業部門は当時、米国においてもまだ黎明期であり、日本には誰も事業部門の社員はおらず、公共政策面での業務はインターネットショッピングと併せて私が担っていた。

公共政策チームとは、分かりやすく言えばロビイング活動を行う部署である。企業によって多少の役割は異なるが、選挙で選ばれた国会議員や首長および地方議会議員、中央政府に所属する国家公務員、地方自治体に属する地方公務員、業界団体や有識者などの外部のステークホルダーとの間の関係構築や折衝を行う業務を担っている。

私にとって霞が関から外資系企業であるアマゾンに転職した際の変化は大きかったが、それと同等以上に、私がアマゾンに入社した頃と今日現在のアマゾンの姿の変化も大きい。2023年第3四半期時点で、「アマゾニアン」と呼ばれるアマゾンの社員は全世界で約150万人。その中で公共政策チームには世界中で数百名のフルタイムの社員が在籍しているが、私が世界中で最も在籍期間が長い社員になっていた。世界中のアマゾニアンの中で私よりも前に採用され在職していたのは、わずか0・3%にも満たなかった。

私が入社した頃の仕事は、今から振り返ればかなり限定的で日本固有の問題が多かった。アマゾンが飛躍的な成長を続けるにつれ、仕事の範囲は広がり、個々の課題も複雑で専門的知識を要するものとなり、他国とも共通する課題が増え、以前とはまったく異なる景色となった。欧州などを中心とする「テックラッシュ」――私の入社時にはまだその言葉は生まれていなかった――により、公共政策チームは急速に拡大し、業務内容も変化していった。従来は、公共政策チームの業務は、政府から提案されたルール案に対応するという狭義のロビイング活動が主であり、対外的なコミュニケーションも聞かれたことだけ最小限に答えるという受動的なものであった。だが、テックラッシュが盛んになるにつれ、政府と対話を重ねながらともにルールを検討し、政策立案者のアマゾンに対する誤解や都市伝説を積極的に訂正し、正しく理解してもらうという方向に変化、拡大してきた。

ただ、公共政策チームの業務が変化する中で一貫して変わらなかったのは、アマゾニアンに浸透しているリーダーシップ・プリンシプルという原則に基づく行動であった（第4章で、アマゾニアンがどのような視点をもってロビイングをしているのかを具体的なケースをもとに解説する）。

アマゾン公共政策チームの実像

現在のアマゾンの公共政策チームは、数百名のフルタイム社員で構成されると述べた。チームは、大きく分けて三つのグループで構成されている。①北米、中南米地域を担当するアメリカ公共政策チーム。②それ以外の欧州や日本を含むアジア地域などを担当する国際公共政策チーム。③アマゾン ウェブ サービスに伴う課題を担当するＡＷＳ公共政策チームである。

他のテック企業と比べてアマゾンの公共政策活動がどの程度の大きさなのかを知る一つの

指標としては、連邦政府向けのロビイング活動に支出されている費用の金額を見ればよい（これは米国の１９９５年ロビー活動開示法に基づき公開されている）。２０２２年のその金額は１９６９万米ドルであり、この金額は上下院に報告されるとともに、アマゾンドットコムのＩＲ（投資家向け）サイトでも開示されている。米国での政治資金やロビイング資金の調査を行っている非営利組織「オープンシークレッツ」は、ロビイング関連費用の毎年の支出者ランキングを公表しているが、２０２２年におけるテック企業の中ではアマゾンの支出が最も多い。

現在、国際公共政策チームが担当しているアマゾンのショッピングサイト（例えば、Amazon.co.jp）は全部で18存在し、アラブ首長国連邦（19年開設）、サウジアラビア（20年開設）、エジプト（21年開設）向けのサイトなど、私の入社時には開設していなかったサイトが大半である。24年には南アフリカ共和国向けのサイトも開設される。これらの新興国には、サイトの開設前から公共政策担当の社員が採用され、サイトの円滑な開設を実現するために、例えば外国資本による１００％出資を禁じるような法的な障害の除去であったり、現地の関係団体と連携しローカルな商品販売のプロモーションをしたり、政府高官との関係構築などを行っている。

新規にサイトを開設する国以外では、それぞれの国におけるビジネスプランの内容によって公共政策チームの役割が異なってくる。

例えば、インターネットショッピングではアマゾンによる直売事業が中心なのか、マーケットプレイス事業も行うのか。生鮮食料品や医薬品は取り扱うのか。電子書籍、音楽や映像などのデジタル配信を行うのか。アマゾンスタジオによるオリジナルの映像制作は行うのか。キンドルやエコーなどのデバイス機器の販売は行うのか。アレクサのサービスは投入するのか。広告ビジネスはどこまで展開するのか。無人決済店舗のアマゾン・ゴーなどの実店舗も運営するのか。オペレーションや配送にロボットやドローンを活用するのか。新たな金融決済手段を導入するのか。データの取り扱いや機械学習の利用はどこまで野心的に行うのか。あるいは、米国でも未実施の低軌道衛星通信プロジェクト・カイパーのような新規事業も行うのか。

例が長くなったが、このように広範な事業領域の中で各国におけるそれぞれのビジネスプランを実現するために、公共政策チームは先んじて行動を起こす。また、先進国で議論されている競争政策や消費者保護政策のように、すでにアマゾンが実施している事業に対して新たに政府側から惹起される課題に対応するのも重要な仕事である。

このように、グローバルなテック企業の公共政策チームは、各国におけるビジネスの熟度、政策課題の熟度によって、業務内容がかなり異なってくる。また、外部環境によって各国が注目する政策課題が異なるため、その違いに対応することも余儀なくされる。

例えば、ポピュリズムに加担しなければならないほど政治的に脆弱な状況かどうか、財政再建上の理由からテック企業の（利益ではなく）収益への課税に着目しているかどうか、疲弊している中小企業からの対テック企業対策についての政治的要求が強いかどうか、持続可能性やデジタル分野の主権と戦略的自律性を追求するような政治的大目標が存在するかどうか、テック企業に寄り添い保護主義姿勢をとる他国に対して米国政府が攻撃的な態度を示すかどうかなど、国際政治上、各国の国内政治上の情勢によって公共政策チームがそれぞれの国でどう立ち回らなければならないかは変化する。

さらに、インドのように州政府などの地方政府に相当な権限がある場合には、公共政策チームも中央から地方まで階層的な対応をせざるを得ない。このような統治機構上の事情も考慮しなければならない。

公共政策チームが対応すべき課題は、小さなものまで数え上げればきりがないが、業務に割けるリソースには限りがあるので、取り組むべき課題には優先順位をつけることになる。

アメリカ公共政策チーム、国際公共政策チーム、AWS公共政策チームが一丸となって、ワン・アマゾンとして優先的に取り組むべき課題とゴールを毎年定める。そしてこれらの課題とゴールは、CEO直下のエスチームと呼ばれる全部門のシニアリーダーシップで構成される会議で決定される。

つまり、公共政策チームが独自の判断で優先順位を決定するのではなく、ビジネス部門などのすべての責任者の同意のもとに決定されるのである。

また、これらのゴールは測定可能なものでなければならず、毎四半期ごとに進捗状況の確認作業が行われ、毎年ごとにゴールが達成できたのか（グリーン）、達成できなかったのか（レッド）に明確に二分され、評価されることになっている。

ここで各国の具体的な課題やゴールを開陳することはできないが、概して言えることは、アマゾンは各国からの政策提案にやみくもに反対している訳ではなく、あきらかに不合理と思われる提案に対して粘り強く修正や廃止を求めるというシンプルな立場をとっている。

例えば、事実に基づかず政治的なテックラッシュに由る提案や、国内産業を守る保護貿易主義（プロテクショニズム）による提案や、企業間（例えばオンライン小売とオフライン小売間）のレベルプレイングフィールド（公正な競争条件）が確保されない差別的な提案や、クロスボーダー取引（国境を越える取引）に著しい支障をもたらす提案や、商業上の秘密やノウハウなどを毀損しかねない提案や、国際協調路線と異なる単独行動主義（ユニラテラリズム）による提案などがそうである。

政策立案が官僚主導で進む国もあれば、議会主導で進む国もあるなど国によって仕組みが異なるので、そのロビイング手法やアプローチの仕方に違いはあるものの、ロビイングの思考法としては、後述する日本の事例と同様に、アマゾンのリーダーシップ・プリンシプルに基づくものとなっている。

テックラッシュによる逆風

私がアマゾンに入社した当時は、公共政策チームはビジネスの支障になり得るような法制度上の問題のみに注力していればよかった。だが、２０１０年代半ばあたりから世界的に規制当局や政策立案者のテック企業に対する注目度合いが急速に高まっていった。

英語圏の辞書によれば、テックラッシュとは「特に個人情報の管理、ソーシャルメディア、オンラインアクセスやコンテンツの規制などに関する、テクノロジー大企業の広範囲に及ぶ権力と影響力に対する強くて広範な否定的反応」と解説されているが、私としては「強くて広範なきわめて政治的な動機による否定的反応」と追記したい。

最近、米国ではいわゆるGAFAやマイクロソフトを加えたGAFAMという言葉を使わず、これらにテスラとエヌビディアを加えた7社を「マグニフィセント・セブン（Magnificent Seven、荒野の七人）」と呼んでいるようである。テックラッシュは、これらのうちグーグル、メタなど一般消費者向けにサービスを提供しているテック企業に顕著に生じている。アマゾンの場合には、主としてビジネス向けの事業であるアマゾン ウェブ サービスよりも、アマゾンドットコムのような一般消費者向けのインターネットショッピング事業のほうがメディアなどによる批判が強い。

アマゾンの場合、おそらくテックラッシュの背景には、事実に基づかないものも含め、メディアや一般消費者が抱くさまざまな不安や不信があったろうと思われる。

例えば、いわゆる市場支配力の大きさ、ジェフ・ベゾスの巨額の個人資産、アマゾンの物流センターや配送網における労働条件や国際的な税負担に対する懸念、各地域のハイストリート（繁華街）に与えている影響、アマゾンが新興国や新しい市場セグメント（食品、薬局、映像制作、アレクサなど）に参入する際の既存勢力からの抵抗、アマゾンのマーケットプレイス上の販売事業者のコミュニティからの懸念の声、セーフガードなしに自国に中国製品が流入することを可能にしている元凶などなど。

特に、欧州では、国によって温度差があるとは言え、欧州の戦略的自律性をめざすフランスを筆頭に、「ローカル対グローバル」「伝統対革新」「独立系企業対巨大テック企業」「持続可能性対過剰消費」「社会的絆対デジタル」といった単純な二元的対立軸の一方とみなされ、反アマゾンの気運が徐々に高まっていった。欧州からの逆風は他国にも伝播し、自国にデジタル・チャンピオンがいないのは米国のテック企業のせいであるという感情に加えて、主として雇用条件、納税、環境問題、競争問題に関してアマゾンは今でも広く批判にさらされている。

これらの問題に加えて、過去には突発的に起こるテックラッシュもあった。消費者の意向を踏まえずにアレクサにより音声が勝手に記録されているのではないか、政治的なメッセージの入ったTシャツなどの商品を販売しているのは問題ではないか、テロ行為がツイッチ（アマゾンの子会社）によるライブストリーミング配信で拡散されているのではないかなど。

加えて、コロナ禍を経て、アマゾンは人々の生活になくてはならない存在であると認識されながらも、〝COVID－19の勝者、つまり危機から恩恵を得た者として厳しい目が向けられ、第一線で働いてきた労働者の待遇や賃金を改善するとともに、財政再建や景気回復にも貢献するよう求める声が強まっていった。繰り返すが、テックラッシュによる批判には事実に基づかないものも多いのであるが、きわめて政治的な動機によりなされるものなのである。

このようなテックラッシュの逆風の中では、公共政策チームが個別の政策課題に特化したロビイングを行うことは容易ではない。後述するように、日本では個別の政策課題について政治家や官僚に面談を申し込んだ場合、不合理な理由で断られるということはあり得ない。一方、欧州の場合には、そもそもアマゾンにまとわりついている誤解や悪評を取り除かないことには、個別の政策課題について面談にすら応じてもらえないという現象も起こっていた。そうであれば必然的に欧州の公共政策チームは、まずはアマゾンの評判を回復することから仕事を始めざるを得ないことになり、例えば、アマゾンがいかに欧州各国の中小企業支援を行っているのかを示すための〝徳を積む〟キャンペーンを行うことになる。実際、欧州の公共政策チームにはこのようなキャンペーンを率いる専任の社員が存在する。

欧州のことを強調して述べてきたが、テックラッシュは世界的な現象になりつつあった。米国が自国第一主義のアプローチをとったことで、間接的に他国にも同様の行動をとることを許してしまったというマクロ的なトレンドもテックラッシュを引き起こした要因であろうと思われる。

２０１８年以降、各国が欧州のような事態になることを避けるために、各国においてアマゾンのミッションやビジネスモデルについて事前に能動的に規制当局や政策立案者に説明するという全社的なプロジェクトを展開することになった。何か問題が起こってから事後的に受動的に対応するのではなく、日頃から各国政府や政府に対して影響力をもっている人たちの理解と信頼を得ることが重要であると再認識したのである。

日本でも、２０１９年11月に、衆議院第一議員会館において、「オンライン販売で成長する全国のきらりと光る小規模事業者応援展」を開催し、各地の道の駅や物産展で販売をしている販売事業者の方々がAmazon.co.jpを通じても事業を拡大されていることを、国会議員や秘書に訴求したりした。

テック企業のビジネスモデルや提供する商品やサービスにより、社会的な不安や不信がうまれ、それらが積み重なることによってテックラッシュが生じる訳である。それらを放置すれば、政治的な緊張から新たな規制による政府の介入が行われるだけでなく、最も大事な消費者からの信頼を失ってしまうことになりかねない。テック企業の公共政策チームとしては、誤解に基づく外部からの批判に対しては辛抱強く事実を伝え、真摯に受け止めるべき否定的な見解に対しては社内にその声をフィードバックし、商品やサービスに何らかの調整を加えることが必要になる。

また、否定的な批判の声に対応するだけではなく、影響力のある企業は社会的責任を果たすべきであるとの要請にも応える必要性が高まっている。サプライチェーンを含めた持続可能性、省エネルギー、人権デューデリジェンス（適正な評価手続き）、ギグワーカーの労働条件など、社会的問題への取組が一層要請されていることを社内に周知して回る役目もある。テック企業の公共政策チームは、会社の命運を左右する重要な役割を担っていると言っても過言ではない。

第2章

知られざるロビイングという重要機能

伝統的な業務は省庁と企業との連絡役

アマゾンのロビイングについて解説する前に、ロビイングの発展段階について触れておく。経済産業省は産業界と日常的に接する機会の多い役所なので、在職当時の私は各企業のいわゆる公共政策担当の方々とは日常的にコンタクトがあった。ただ、振り返ってみると、ほとんどの伝統的な日本企業の公共政策担当の方々は、アポなしで頻繁に経済産業省に来て気軽に声をかけていたものの、特にアジェンダがある訳ではない場合も多く、省内の最新の議論の様子や新たな政策の方向性について情報収集している様子であった。また、私自身も何かしらお願いしたりお伝えしたりする際に各企業の公共政策担当の方々に連絡をすれば関係部署に話が伝わるのが便利であったので、公共政策担当の役割は役所と各企業の連絡役程度にしか理解していなかったように思う。

想像するに、このような公共政策の担当者は、各省庁における最新の情報を収集し、所属する企業に持ち帰り、経営陣が今後の経営方針を立てる上で役立てていたのであろうと思うが、情報の流れとしては省庁から企業への一方向であり、企業の経営戦略上省庁に対して何か働きかけるということはほとんどない。企業側から省庁側に情報が流れる場合というのは、あくまでも省庁側が聞きたいときだけヒアリングするという形で行われることが多く、企業側にとってメリットがあることはほとんどない。国家プロジェクトへの参加を通じた技術開発予算の獲得とか、租税特別措置に基づく税制改正要望とか、財務的な観点で企業の公共政策担当者から要望を受けることはままあったが、法令上の見直しに関する要望を受けることはほとんど経験がない。

例えば、私が石油や石油化学などの産業保安行政の担当課長補佐をしていた頃は、おそらく在職中で最も規制行政を行っていたポジションにいた訳であるが、私の記憶では企業側から規制の見直しなどについて積極的に提案を受けたことはあまりない。当時、国内の大手の石油や石油化学企業の公共政策担当や環境安全担当の方々と日々会っていたにもかかわらず、である。このような伝統的な企業側には、そもそもルールというものは変えられるものであるという発想自体がなかったりする。むしろ、政府部内で規制の見直しの動きがあり、私のほうから規制改革のプランを立てて、企業側に打診していたような状況であった。

今日では省庁と企業との関係も変化しているので状況が異なるとは思われるが、当時は、各公共政策担当者が、省庁との間で単に連絡役と化しており、ロビイングとは言い難い「伝統的な公共政策業務」とでもいうような場面を目にすることが多かった。

日本の伝統的な企業にはびこる「静的なロビイング」

21年間にわたる私の公務員生活の中で、「伝統的な公共政策業務」と異なる印象的な出来事として思い出されるのは、医療機器の担当管理職をしていた頃にメガファーマと呼ばれる外資系の製薬企業やグローバルな医療機器メーカーの公共政策担当者が頻繁に現れ、欧米と日本のいわゆる薬事承認の違いやスピード感の差異を訴えに来ていたことである。内資系企業よりも外資系企業からのアプローチが盛んであったが、これは単に外資系企業が日本市場に強い関心を持っているからというだけでなく、総じて内資系企業には、ルールというものは変えられるものだという認識が乏しかったり、業界内での横並びを気にしたり、あるいは、企業側の法的リスクを極小化するためにむしろ細部まで政府によって規律してほしいと考える傾向にあることが原因であると思う。

いずれにせよ、外資系企業が私に対して医療機器を巡る政策上の問題点を直截かつ的確に指摘していたことは、当時厚生労働省に働きかける立場にあった私に大きく響く問題提起であり、事実、厚生労働省に対して私が交渉する際に大変役に立つロビイングであったことを思い出す。

このようなロビイングは、各企業の経営戦略と直結している。

例えば、新たに開発された医療機器への薬事承認が欧米に比べて日本だけ遅れるという「デバイス・ラグ」という現象が解消されるかどうかという政策上の問題は、その医療機器開発企業の経営戦略と直結している。製薬や医療機器のようなヘルスケア分野だけでなく、電気通信、エネルギー、伝統的な金融ビジネス、煙草や酒類など事業自体に許認可を伴うような規制業種については、規制の見直しは各企業の経営に直結する問題であるので、社内での公共政策チームの役割は大きい。しかしながら、概ねこのような業種のロビイング活動は、毎年同じような要望を繰り返して働きかけている場合が多く、新たな問題に対応するのに長《た》けていないという印象がある。私の経験した医療機器分野でも、同じような政策課題について何年も継続的にロビイング活動が行われていた。このような場合、公共政策チームが取り扱う政策トピックスにあまり変化はなく、また、一旦決めてしまったルールの変更の実現には何年もかかる場合が多い。

その意味で、静的（スタティック）なロビイングであり、後に述べるアマゾンのようなテック企業のロビイングとはかなりダイナミズムが異なる。

企業のミッション達成に不可欠な公共政策チーム

霞が関からアマゾンに転職して強く感じたのは、パブリックポリシー（公共政策）が、リーガル（法務）、タックス（税務）、パブリックリレーションズ（広報）といった他の間接部門のチームとともに経営戦略上極めて重要な役割を担っているという点であった。

一般的には、当然のことながらビジネスの現場を担当する各事業部門（ビジネスチーム）は企業の経営戦略と一体となっているが、間接部門は経営戦略とは無縁のコストセンターであるという企業は少なからずあると思われる。しかしながら、アマゾンではまったく違っていた。ただ、それは公共政策チームが、売り上げ増や利益の最大化のために重要な役割を担っているという訳ではまったくない。公共政策チームがアマゾンのミッションである「地球上で最もお客様を大切にする企業、そして地球上で最高の雇用主となり、地球上で最も安全な職場を提供すること」を実現するために重要な役割を果たしているという意味である。

ちなみに、各ビジネスチームも同様にこのミッションを達成するために努力しているのであり、会社の売り上げや利益のことを考えながら仕事をしている訳ではない。法務部の場合、一般的にはビジネス部門が企画している事業プランをあらゆる角度から審査して、法的な観点からのゴーサインまたはノーゴーサインを出すのが通例だろうが、アマゾンでは、法務部は社内審査部門という位置づけではなく、あたかも自動車の助手席に座って、運転手（ビジネスチーム）のためにナビゲーションを行うかのように、積極的にビジネスチームに対して水先案内人を果たす役割が求められている。公共政策チームの場合、近未来のビジネス環境を切り開いて、運転手であるビジネスチームと助手席に座っている法務部が運転しやすい道路をあらかじめ整備しておく役目を担っているのである。

例えば、アマゾンは２０１３年に無人航空機（ドローン）であるアマゾンプライムエアーによる配送計画を発表したが、この時点では日本をはじめいずれの国でも無人航空機による配送に適した規制は整備されていなかった。このときから私は国土交通省航空局安全企画課との間で改正航空法やそれに伴う省令や通達の内容について交渉を行っていた。まだ日本のアマゾンの社内にアマゾンプライムエアーのチームが存在しない段階から、いずれ日本のお客様に30分以内で商品を届けるというビジネスを始めるときに、そのための道路が整備されていないと困るであろうという観点で、先んじて制度整備を行うのである。

国家を動かすテック企業の「動的なロビイング」

グローバルなテック企業はとてつもないスピードで新たな製品やサービスを出していく。私がアマゾンに入社した2008年当時は、書籍を中心とする物販のインターネットショッピングが中心で、国内の物流センターも千葉県に2か所あるだけであった。電子書籍や音楽・映像配信などのデジタルサービスはまだ開始しておらず、アマゾン ウェブ サービスというクラウドコンピューティングサービスに関しては日本に事業部門がなく社員がまだ誰も採用されていなかった。そのため必然的に、ロビイングの仕事も一般用医薬品のインターネット販売など物販に関わる問題が主であった。

しかし、今やアマゾンが関係するサービスには、AI、ロボット、無人航空機、衛星、音声認識デバイス、IoT（モノのインターネット）など多様な先端テクノロジーが関わっており、そして新たな製品やサービスのローンチが非常に速いスピードで、今でも遅滞することなく続いている。アマゾンの場合、「毎日がはじまりの日」という意味でのDay1という姿勢をとても大切にしているので、お客様が想像もしなかったようなサービスやプロダクトを常に生み出し続けている。公共政策チームは、このＤａｙ１の姿勢をビジネスチームが実現できるように社内でサポートするので、ビジネス領域が拡大するにつれロビイングの業務領域は急拡大することになる。

加えて、企業自身の経済社会に対する影響が大きくなるにつれ、ロビイングの業務は法制度に関する活動にとどまらず、政府とのよりよい関係を構築するという企業のレピュテーション（評判）問題まで担うことになる。第1章で述べたように、アマゾンの場合には、欧州で納税や労働問題などに関してアマゾンをバッシングする論調が徐々に拡大したため、公共政策チームはパブリックリレーションズ（広報）チームと一体的にグローバルコーポレートアフェアーズという組織になり、アマゾンに対するレピュテーションをどう向上させるかという活動が重視されることとなった。

そうなると公共政策チームの行動も「静的（スタティック）なロビイング」とは異なる「動的（ダイナミック）なロビイング」となる。「動的なロビイング」の一つの特徴は、公共政策チームが取り扱う課題が固定的なものではなく、年々、場合によっては四半期単位で変化し、かつ、その範囲が拡大傾向にあるということである。物販のインターネットショッピングであれば、消費者保護、薬事、食品・製品安全、資金決済、物流などに関わる政策課題が中心になるが、デジタル系のサービス（コンテンツ配信、デバイス販売）やクラウドコンピューティングサービスが加わると、セキュリティ、著作権、個人情報保護、電気通信、コンテンツモデレーションなど、さらに政策課題に広がりが出てくるし、また、同時にアマゾンという企業の行動に新たな注目が集まることにより、競争政策、環境エネルギー、人権といった公共政策分野の対応の重要性が増してくる。

繰り返して申し上げるが、これらの公共政策上の課題が非常に速いスピードで生じるのである。実際、今から10年以上前に私が手掛けていた公共政策上の案件と今アマゾンが抱えている案件を比較してみると、隔世の感がある。加えて、デジタルプラットフォームと呼ばれる新たなビジネスモデルやこれまでに政策立案者が想定していなかったような新たなテクノロジーに対して、後述する共同規制のように各国の規制当局がこれまでの規制のフレームワークにあてはまらないような新たな提案を行ってくることにも対応が必要となってくる。

テック企業が生み出す新しいテクノロジーやサービスというものは、既存の法制度が想定していない、つまり法律とテクノロジーとの間にギャップが生じるので、どうやってこれらを規律していくべきなのか、あるいは、政府と企業が共同してガバナンスをしていくべきなのかという新たな課題に直面することもしばしばである。製薬や電気通信などの「静的なロビイング」では、政策立案者側に規律のノウハウが蓄積されていることが多いため、ロビイング活動も毎年同じようなルーティンなものになりがちである。しかしながら、テック企業が手掛ける「動的なロビイング」の世界では、新たなビジネスモデルや技術についての情報は圧倒的に企業側が有しており、官民での情報格差が極めて大きい。従って、時代遅れの法制度や現場感覚からずれた不条理な政府側の政策提案に対して、何度も辛抱強くテック企業側が働きかけることによってようやく合理性のあるガバナンスの枠組みが確立することになる。僭越ながら、テック企業が政府に対してあるべき法制度の姿を積極的に提案することもしばしば必要になる。そのためにロビイングの活動も「静的」ではなく、積極的にスピード感をもって「動的」に行うことが不可欠となる。

「動的なロビイング」のもう一つの特徴は、規制改革や制度整備といった法的な活動のみならず、政府とのよりよい関係を構築するということにまで拡張してくるという面である。狭義には、テック企業のことを政府関係者に正しく理解してもらい、もし誤解や都市伝説があれば丁寧にそれらを訂正していくことが肝要になる。

私の場合にも、アマゾンが日本で法人税を納めていないかのような誤解が、一部の国会議員に見られることがあったので、そのような誤解に接する度に、アマゾンの日本での納税状況について丁寧に説明した。そのため最近では、国会でのそのような誤解に基づく発言も随分少なくなった。

このような企業についての政府関係者の正しい理解を前提とした上で、政府との間で良好な関係を構築するために、政府が抱える政策方針をテック企業の側面から支援し、政府も企業側もともに同じ目的を達成していくということが必要になる。アマゾンの場合であれば、後に述べる「置き配」についての取組がその好例であろう。このような「動的なロビイング」の活動はテック企業にとってはなくてはならないものであり、企業の社会的受容性を高め、引いては競争力を左右するものであると言っても言い過ぎではないと思う。

「動的なロビイング」における日米テック企業の違い

日本のテック企業のロビイングと、米国のテック企業の日本におけるロビイングにはどんな違いがあるのかについても触れておこう。

日本のテック企業の公共政策チームとは、頻繁に情報交換や協働して行動していた。製薬、エネルギー、銀行、煙草などの「静的なロビイング」の業界とは異なり、公共政策上の課題を把握し、事実関係の情報収集や周辺の情勢分析を行い、ロビイングの具体的なプランを策定し、実際に行動に移していくスピードが速く、とても頼りになった。

加えて、私のような米国テック企業から見て羨ましかったのは、日本のメディアや政策立案者が好むであろう解決策を提示されていた点である。例えば、昨今、デジタルプラットフォームの行動を競争政策上疑問視する向きがあるが、それに対する一つの回答方法としては、第三者からなる有識者委員会を企業が自主的に設置し、同委員会からの助言に基づいて自主的に行動をレビューし改善していくことを提案することで、一定の効果を狙うという考え方がある。米国テック企業からすれば、日本で展開しているサービスは独自のものではなく、グローバルに共通していることが多いため、日本のメディアや政策立案者からの評価を得るため、日本だけのために第三者からなる有識者委員会を設置するというのは容易なことではない。このように当然ながら、日本のテック企業は、日本の政策立案者が何を求めているのかを〝読む力〟に長けているので、米国のテック企業の中には日本のテック企業のやり方に学びを感じているところもある。

一方で、米国テック企業のほうに分があるという面もある。例えば、日本政府からやや首をかしげたくなるような政策提案があった際には、米国テック企業の場合には、米国や欧州などから同種の政策動向に関する情報を取り寄せ、国際的な視点から見ていかに日本政府の提案が珍妙なものであるのかを論じていくのは得意とするところである。

そういう意味では、両者が、それぞれの得意不得意分野をカバーしつつ、良い連携ができているのではないかと思う。ちなみに日本には中国のテック企業も進出しているが、私は中国のテック企業の公共政策チームと連携するメリットを感じることはなかったので、その経験はない。

最後に、米国テック企業の公共政策チームと一口に言っても、同じ行動パターンを取る訳ではないことも付言しておきたい。幸い、アマゾンはリアルな物品を取り扱うリテールビジネスやマーケットプレイスを主たる事業としているので、ビジネス上の商談もロビイング活動も進出しているそれぞれの国の政治・経済・社会環境に合わせた行動ができるような組織運営がされている。

公共政策チームで言えば、日本の法制度や政策立案過程に精通した専門家が日本法人の関係部署と相談しながら行動していく。もちろん、米国本社からの大きなガイダンスを仰ぎ、他国の公共政策チームの同僚と連携することもあるが、米国本社がマイクロマネジメントをする訳ではないし、ましてやアジア太平洋地域（ＡＰＡＣ）における地域本部は存在していなかった。

ただ、米国テック企業の中には、ロビイングの一挙手一投足に米国本社やＡＰＡＣ地域本部からの介入が生じる企業もある。このような場合には、あいにく日本法人の公共政策チームには委任された権限が少なく、米国本社やＡＰＡＣ地域本部と日本の政策立案者との間の伝書鳩のような役割に徹することにもなる。米国本社やＡＰＡＣ地域本部の幹部がわざわざ来日して直接意見陳述したとしても、日本の政策立案者が何を求めているのかを〝読む力〟に乏しいので、その意見が関係者に響かないままになってしまうこともある。

また、米国本社やＡＰＡＣ地域本部の幹部は、日本の政策立案プロセスを熟知していないため、首相や大臣などのハイレベルの面談にむやみに拘泥することもしばしば起こる。最近の例で言えば、生成ＡＩやＷｅｂ３・０のように与党が大きな政策の方向性を霞が関に先んじてリードしている分野であれば、閣僚や与党幹部に面会を申し入れることは一定の意義があると思うが、そうでない分野についてトップ外交を申し入れても日本の場合はあまり意味がない。にもかかわらず、外資系企業の中には、日本を一部のアジア諸国と同様にとらえて、ハイレベルな面会こそが最良の解決策であると妄信している本社や地域本部の幹部もいる。

第3章 アマゾンのロビイング5つの思考法

ロビイングを行うに当たっては、各企業ともその目的なり、大きな方針というものがあるはずである。アマゾンの場合、パブリックポリシー（公共政策）チームやより広義のグローバルコーポレートアフェアーズのチームのテネッツ（信条）が存在する。このテネッツというのは、アマゾン内のありとあらゆるチームにそれぞれ存在するものであり、そのチームに所属する社員の行動規範になっている。また、これらのテネッツには、「さらに良い考えが出てくるまでは（これがテネッツです）」という但し書きがある。つまり、これらのテネッツは固定的なものではなく、常に社内でレビューされ、より良いものに書き換えられている。

ここで、公共政策チームやグローバルコーポレートアフェアーズのチームのテネッツを開陳する訳にはいかないが、私が在籍中に自分なりに整理していた「動的なロビイング」を行う上での5つの思考法を紹介したい。おそらく他のテック企業の公共政策活動も、おおよそ似通った思考法で行われているのではないかと想像する。

（1）政策立案者から深い信頼を得る

これは「静的」か「動的」かに関わらないことであるが、ロビイングを行うに当たって、企業と国会議員や政府職員との間で信頼関係が構築されているというのは大前提である。また、日本で展開している事業活動に対して、日頃からポジティブな印象を持ってもらうような努力が必要となる。具体的には、日本における投資や雇用や納税のみならず、中小企業を始めとする日本の取引先企業にもプラスの影響を及ぼしているかどうかや、日本の消費者から支持を受けているかどうか、地球環境問題に積極的に取り組んでいるか、災害支援など社会貢献活動を行っているかなど、多方面に及ぶことになる。

つまり、いくら公共政策チームが精鋭集団であったとしても、その企業が行う事業自体をポジティブに受け止められていない限り、政策立案者との間で信頼関係は成り立たない。また、自社の利益や固有の懸案事項を前面に出したロビイングをするようであれば、政策立案者からの信頼が得られないことは言うまでもない。「動的なロビイング」を行うに当たっては、企業側から能動的に政策立案者に接触して、数多ある企業の中から多忙な時間を割いて話を聞いてもらう必要がある。政策立案者たちにちょっと話を聞いてみようかと思ってもらうためには、単なる信頼関係に加えて、懸案になっている政策課題についても、公共的な観点から深い洞察をし、政策立案者にとって政策面で有益なインプットができる企業であると認知してもらう必要がある。

（2）業界をリードする

「動的なロビイング」を行うに当たっては、その企業が所属する業界内での政策渉外面でのリーディング・ポジションを獲得することが望ましい。例えば社名を公にしたくないなどの事情があって個社としてロビイングするのが難しい場合には、所属する業界団体として活動する必要があるし、仮に、個社としてのロビイングが可能であっても、業界団体としても活動できればより効果的な場合が多いであろう。

業界団体を通じて政策立案者に届けたいメッセージを届ける場合には、当然ながら、その業界団体内でのリーディング・ポジションを確立しておくことが必要になるし、新たな政策課題に取り組む場合に、業界団体に新たに加盟して、早々にリーディング・ポジションを確立することが必要になってくるだろう。自ら率先して新たな業界団体を設立することが必要な局面もある。

リーディング・ポジションの確立というのは、その業界団体の代表や役員に就任すれば直ちに得られるものではなく、やはり特定の政策課題に対して日頃から深い洞察と有益な意見をもち、同じ業界団体に属する他企業にも利する姿勢を示し、信任される関係ができているかがより重要であろう。

テック企業の公共政策チームというのは非常に狭い世界であり、どの企業のどの人がどのような課題に取り組んでいてどのような働き方をしているのかというのは、日頃から透けて見えるものである。「あの企業のあの方が言っているのだから間違いない」と思わせるほどに、日々、他企業の公共政策チームとも交流しておくことが大切である。

（3）インフルエンサーのネットワークを形成する

これはやや日本に特有の視点かもしれない。日本では、企業の経済活動に影響を及ぼすような法律のほとんどは、内閣から国会に提出される閣法であり、国会議員が提出する議員立法ではない。閣法の場合、通常は、担当省庁が審議会や検討会などを開催し、これらの会合の構成員である有識者などの意見を聞きながら成案をまとめることになる。そういう意味では、最終的な政策立案者である国会議員や政府職員に対してロビイングを行うのみならず、政府の審議会や検討会に参画する学識経験者、弁護士、経済団体、消費者団体や専門家といったインフルエンサーとの間にも日頃から信頼関係を構築し、特定の政策課題に関して意見交換をしておくことが重要である。

取り扱う政策課題や省庁にもよるが、現在の政府の審議会や検討会は、私が霞が関に勤務していた時代とは異なり、その会合の事務局である担当省庁の提案を構成員がただ追認している訳ではない。つまり審議会や検討会が、役人がやりたいことの「隠れ蓑」になっているとまでは断定できず、政策の方向性についてそれなりの影響力を有する場合が見られる。1999年4月に審議会等の整理合理化に関する基本的計画が出されて以降、いわゆる審議会行政については何らの改革も見られないことは後述するが、現在の日本の政策立案プロセスにおいては、政府の審議会や検討会の構成員の役割には一定の影響力がある以上、これらのインフルエンサーへの働きかけは忘れてはならない。

（4）政府主導のイニシアティブをサポートする

ロビイングを行うに当たっては、日本で展開している事業活動に対して政策立案者からポジティブな印象を持ってもらうような努力が必要であることは一点目に述べた。加えて、もともと政府が主導して進めようとしているイニシアティブに対してテック企業としてサポートできることがある場合、政府と二人三脚で行動すれば政府との間でより強固な関係が構築できる。インターネットを駆使したサポートなどテック企業でしかできない協力は、政府側にとっても渡りに船である。

例えば、東日本大震災の際に当時政府が行っていたプッシュ型の物資支援（現地からの要請を待たずに支援）を補完する形で、アマゾンのほしい物リストという機能を活用して、約7千か所以上の避難所、学校、非営利団体などに合計10万個以上の物資がプル型（現地からの要請に基づき必要なものを必要な量だけ支援）で届けられたことが思い出される。メディアで何度も取り上げられ、政府や関係自治体からも多くの謝辞が寄せられた。また、最近の小さな例を紹介すれば、新型コロナウイルス感染症に伴う1回目の緊急事態宣言が発出された後、首相官邸が「三つの密を避けましょう」というメッセージがなかなか世の中に浸透しないことに苦労していた様子であったので、アマゾンのトップページにおいてそのメッセージを表示することを提案し、一定期間実行していた。首相官邸のホームページで告知することよりも、数千万人が日常的に利用する見慣れたサイト上で周知したほうが効果的で、このような取組はテック企業でなければなし得ないことである。これはほんの一例であるが、政府から見てテック企業はパートナーであるという認知につながれば、その後はそのパートナー関係を前提とした対話を行うことができるであろう。

(5) 自らのことを正しく認知してもらう

テック企業には、その事業活動が耳目を集めるが故に、誤解や都市伝説が流布することがある。メディアによる不正確な報道やソーシャルメディア上の裏付けのない投稿が政策立案者の目に触れることになる。また、一つ一つの企業をよく観察すれば状況が異なるにもかかわらず、一部のテック企業の行動を捉えて、テック企業をひとまとめにして同類として受け止められてしまう場合もある。

日本では、政府職員が裏取りしていない情報を発信することはあまりないと考えてよいが、残念なことに国会議員や地方議員の中には事実関係を確認しないままに、誤った情報を鵜呑みにして発言される方がたまにいる。影響力のある国会議員などに誤った形でテック企業のことを認知されると、そのマイナスの影響は大きい。また、国会議員などの誤解に基づく発信がメディアの不正確な報道をさらに助長してしまい、負のサイクルとなり収拾がつかなくなることさえある。テック企業が追い求めるミッションや理念、具体的な取組を日頃から積極的に政策立案者に届けるとともに、仮に政策立案者に誤った認識や情報発信が見られた場合には、放置することなく、直ちに本人のところに出向いて正確な事実関係を説明することが肝要である。いかなる制度改正の論議も、事実関係に基づく共通認識の上でないと成り立たない。

「動的なロビイング」に必要な人材

以上のような視点でロビイングを行うのであるが、いくらテネッツ（信条）や視点をしたためたとしても、それを実行する優秀な人材がいないと話にならない。アマゾンが社員を採用するに当たっては、次章で述べるアマゾンのリーダーシップ・プリンシプルがフル活用されている。通常、５～６名程度の社員が面接官となり、各面接官がリーダーシップ・プリンシプルに基づいて候補者に対してインタビューを行い、採用すべきと考えるか、採用を見送るべきと考えるかを事前に社内のシステムに入力した上で、デブリーフィングと呼ばれる会議において全面接官で協議する。また、面接官の中には、バー・レイザーと呼ばれる採用面接に関する特別のトレーニングと数百回以上に及ぶ面接経験を積んだ社員が必ず参加し、デブリーフィング会議のファシリテーターを務める。これによって、アマゾンの採用水準（バー）が上がることはあっても、決して下がらないようにする工夫がされている。

事実、私がアマゾンに入社した時点に比べれば、採用のバーは確実に上がっていると断言できるし、アマゾンのリーダーシップ・プリンシプルの中には、「Hire and Develop the Best」という原則が組み込まれている。その意味は、「リーダーはすべての採用や昇進において、評価の基準を引き上げます。優れた才能を持つ人材を見極め、組織全体のために積極的に開花させます。リーダー自身が他のリーダーを育成し、コーチングに真剣に取り組みます。私たちはすべての社員がさらに成長するための新しいメカニズムを創り出します」とされている。このあたりのアマゾンの採用のプロセスやメカニズムについては、他書で紹介されていると思うのでここでは詳しい話は割愛し、公共政策チームに必要な人材について少々紹介しておきたい。

アマゾンの公共政策チームには世界中で数百名のフルタイムの社員が在籍していると述べたが、当然ながら、各国の政策立案プロセスに精通し、いつ、誰に対して、どのような作法で提案をすべきなのかというう政策渉外のイロハは他所で十二分に学んできていることが必要不可欠になる。また、政策立案者やインフルエンサーに対して影響力を発揮できる経験や能力を持っている人が望まれる。従って、国によらず、政府機関や議会、政策シンクタンク、他企業の公共政策チームを経験してきた人、あるいはこれらの組織を複数経験してきた人が採用されることが多い。また、これも当然であるが、会社を代表して政策立案者と対話をすることができる洗練されたコミュニケーション能力を持ち、時と場所に応じた儀礼的なふるまいに通暁し、採用国での言語と共通語としての英語の能力が求められる。

ここまでは「静的なロビイング」を主とする企業の場合にとっても同様に必要条件であろうと思うが、「動的なロビイング」を行うテック企業の採用対象は、加えて、大局観を持って情勢分析ができ、自社のビジネスの細部に精通し、よく練られた戦略的な行動計画を立てることができ、自発的かつ果敢にアクションを起こし、外部のステークホルダーとの信頼関係構築に長けた人物となる。さらに、個別の専門性も重視される。アマゾンの公共政策チームに所属する社員たちは、競争政策、知的財産、金融決済、消費者保護、インターネットガバナンス、プライバシー、違法有害情報対策、情報セキュリティ、物流・運輸、製品安全、国際課税、労務、環境保全・再生可能エネルギー、人権・社会的責任、産業立地、電気通信、ヘルスケア、多国間レジームなど、それぞれの分野を担当するように機能分化しつつあるので、当然、その道のプロを採用することになる。米国のワシントンDCやEUの本部があるブラッセルのように、公共政策案件が多数あるチームほど、機能分化が進んでいる。米国やEUの公共政策チームのメンバーは、議員スタッフや行政機関職員として働いてきた経験を持つ者に加えて、政策シンクタンクやアドボカシー団体での勤務経験、あるいはそれらを経て他の民間企業のロビイストとして専門的な経験を積んできた社員で構成されている。

東京の場合は、ワシントンDCやブラッセルのようにロビイング人材のジョブマーケットは大きくないが、国会議員や政策秘書、中央省庁の職員、政策シンクタンク研究員、コンサルティングなどの民間企業社員の経験を持つ人材が、内資、外資問わずテック企業の公共政策部門で活躍している。「動的なロビイング」の場合には、政策立案者よりも情報量の面で比較優位にあるテック企業側が公共政策上の議論をリードしていく必要があるので、そこで働く人たちには今後ますます即戦力となる高度な専門性が問われることになると思う。

第4章

岩盤を打ち砕く戦術と哲学

全アマゾニアンのＤＮＡ

テックラッシュ時代のロビイング「動的なロビイング」が実際どのように行われているのか、私がアマゾン在籍時代に自分で手掛けた案件を題材にして紹介したい。なお、ここに取り上げる事例は、すべて現在のアマゾンの日本法人の公共政策チームのメンバーは関わっていないものであることを念のため付言しておきたい。

もしかすると、私の当時の思考法や経験の一部はユニークなものかもしれない。それは私の行動原理が、アマゾンの世界共通のリーダーシップ・プリンシプルと呼ばれる16項目の原則に基づくものだからである（表参照）。アマゾンでは、チームを持つマネージャーであるかどうかにかかわらず、全員がリーダーであるという考え方のもとで、社員一人一人が、すべての日々の活動において、常にこのリーダーシップ・プリンシプルに従って行動するよう心がけることが求められている。リーダーシップ・プリンシプルは常に進化を遂げ、アップデートされており、60～61頁の表に記載されている最後の２項目は２０２１年７月に追加されたものである。

先に紹介したテネッツ同様に、これらリーダーシップ・プリンシプルにも、「さらに良い考えが出てくるまでは」という但し書きがあり、常にアマゾンのシニアリーダーシップたちは、現在のリーダーシップ・プリンシプルで良いのかどうかをレビューし、必要に応じて追記・修正を行っている。

どの企業にも何らかの経営理念や社訓のようなものは存在するであろうが、アマゾニアンにとってのリーダーシップ・プリンシプルは、単に会社内のどこかに掲示してある創業者のお言葉ではなく、〝経文〟と言って良いほど全社員の内心に浸透しているものである。入社後のトレーニング期間中のみならず、その後もチームごとに定期的に開催されるオフサイト会合という〝合宿〟において、各リーダーシップ・プリンシプルに沿って少人数で討議が繰り返され、全アマゾニアンのＤＮＡに刷り込まれていく。リーダーシップ・プリンシプルの文言は、米国アマゾン本社のトップ経営陣が一字一句何時間もかけて討議し練りに練って作られたものであり、私を含む日本法人のマネジメント陣はそのベストな邦訳について何度も推敲する。リーダーシップ・プリンシプルという原則は決してアマゾニアンだけに適用される特別なものではなく、普遍的に通用する原則だと断言できるほど、その内容は昇華されている。

Bias for Action	ビジネスではスピードが重要です。多くの意思決定や行動はやり直すことができるため、過剰な調査や検討に時間をかける必要はありません。計算されたリスクを取ることに価値があります。
Frugality	私たちは少ないリソースでより多くのことを実現します。倹約の精神は創意工夫、自立心、発明を育む源になります。スタッフの人数、予算、固定費は多ければよいというものではありません。
Earn Trust	リーダーは注意深く耳を傾け、率直に話し、誰にでも敬意をもって接します。たとえ気まずい思いをすることがあっても間違いは素直に認めます。リーダーは自分やチームの体臭を香水と勘違いすることはありません。リーダーは常に自らを、そしてチームを最高水準のものと比較し、高みを目指します。
Dive Deep	リーダーは常にすべての階層の業務に気を配り、詳細な点についても把握します。頻繁に現状を検証し、指標と個別の事例が合致していないときには疑問を呈します。リーダーが関わるに値しない業務はありません。
Have Backbone; Disagree and Commit	リーダーは同意できない場合には、敬意をもって異議を唱えなければなりません。たとえそうすることが面倒で労力を要することであっても、例外はありません。リーダーは、信念を持ち、容易にあきらめません。安易に妥協して馴れ合うことはしません。しかし、いざ決定がなされたら、全面的にコミットして取り組みます。
Deliver Results	リーダーはビジネス上の重要なインプットにフォーカスし、適正な品質でタイムリーにやり遂げます。どのようなハードルに直面しても、立ち向かい、決して妥協しません。
Strive to be Earth's Best Employer	リーダーは、職場環境をより安全に、より生産的に、より実力が発揮しやすく、より多様かつ公正にするべく、日々取り組みます。リーダーは共感を持ち、自ら仕事を楽しみ、そして誰もが仕事を楽しめるようにします。リーダーは自分自身に問いかけます。私の同僚は成長しているか？　彼らは十分な裁量を与えられているか？　彼らは次に進む準備ができているか？　リーダーは、社員個人の成功に対し（それがAmazonであっても、他の場所であっても）、ビジョンと責任を持ちます。
Success and Scale Bring Broad Responsibility	Amazonはガレージで創業して以来、成長を遂げてきました。現在、私たちの規模は大きく、世界に影響力を持ち、そしていまだに、完璧には程遠い存在です。私たちは、自分たちの行動がもたらす二次的な影響にも、謙虚で思慮深くありたいと思います。私たちは、社会、地球、そして未来の世代のために、日々成長し続ける必要があります。一日のはじめに、お客様、社員、パートナー企業、そして社会全体のために、より良いものを作り、より良い行動を取り、より良い企業になるという決意を新たにします。そして、明日はもっと良くできると信じて一日を終えます。リーダーは消費する以上に創造し、常に物事をより良い方向へと導きます。

出所）https://www.aboutamazon.jp/about-us/leadership-principles

Amazonの「リーダーシップ・プリンシプル」（2021年7月1日改定）

あなたが部下を持つか持たないか、あるいは大きなチームを持つマネージャーであるかどうかにかかわらず、Amazonでは全員がリーダーです。さらに良い考えが出てくるまでは、私たちのリーダーシッププリンシプルは以下の通りです。リーダーとして行動してください。

Customer Obsession	リーダーはまずお客様を起点に考え、お客様のニーズに基づき行動します。お客様から信頼を得て、維持していくために全力を尽くします。リーダーは競合にも注意は払いますが、何よりもお客様を中心に考えることにこだわります。
Ownership	リーダーはオーナーです。リーダーは長期的視点で考え、短期的な結果のために、長期的な価値を犠牲にしません。リーダーは自分のチームだけでなく、会社全体のために行動します。リーダーは「それは私の仕事ではありません」とは決して口にしません。
Invent and Simplify	リーダーはチームにイノベーション（革新）とインベンション（創造）を求め、それをシンプルに体現する方法を常に模索します。リーダーは常に外部の状況に目を光らせ、あらゆる機会をとらえて新しいアイデアを探しだします。それは、自分たちが生み出したものだけにとらわれません。私たちは新しいアイデアを実行に移す時、長期間にわたり、外部の理解を得ることができない可能性があることも受け入れます。
Are Right, A Lot	リーダーは多くの場合、正しい判断をくだします。そして、優れた判断力と直感を備えています。リーダーは多様な考え方を追求し、自らの考えを反証することもいといません。
Learn and Be Curious	リーダーは学ぶことに貪欲で、常に自分自身の向上を目指し続けます。新たな可能性に好奇心を持ち、探求します。
Hire and Develop the Best	リーダーはすべての採用や昇進において、評価の基準を引き上げます。優れた才能を持つ人材を見極め、組織全体のために積極的に開花させます。リーダー自身が他のリーダーを育成し、コーチングに真剣に取り組みます。私たちはすべての社員がさらに成長するための新しいメカニズムを創り出します。
Insist on the Highest Standards	リーダーは常に高い水準を追求することにこだわります。この水準が必要以上に高いと感じる人も少なくはありません。リーダーは継続的に求める水準を引き上げ、チームがより品質の高い商品やサービス、プロセスを実現できるように推進します。リーダーは水準を満たさないものは実行せず、見逃さず、問題が起こった際は確実に解決し、徹底的な再発防止策を講じます。
Think Big	狭い視野で思考すると、自分が想像する以上の大きな結果を得ることはできません。リーダーは大胆な方針と方向性を示すことによって成果を出します。リーダーはお客様のために従来と異なる新しい視点を持ち、あらゆる可能性を模索します。

それぞれのリーダーシップ・プリンシプルの内容については、これから述べる実際のロビイングの題材の中で解説するが、アマゾンでは採用、毎年の評価、昇進といった人事面だけでなく、日頃の業務の羅針盤としても、このリーダーシップ・プリンシプルを最重要視している。公共政策チームのような間接部門もその例外ではない。

(1) 政府を味方につける——置き配の社会的受容のケース

消防法に抵触するリスクも

コロナ禍ですっかり日常に定着した置き配。配達員が荷物を手渡しせず、在宅でも留守でも指定した場所に商品を置くことで配達完了にするサービスである(アマゾンでは置き配指定サービスと呼んでいる)。置き配サービスを行っている企業によって、その内容には差があるが、アマゾンでは玄関先だけでなく、宅配ボックス、車庫、ガスメーターボックス、自転車かごなど、商品を置く場所をお客様が選ぶことができ、お客様が希望される場合には、配達完了時に届けた場所の写真を送るようになっている。また、配達完了になっているにもかかわらず商品が届いていない場合などには、お客様から状況を伺った上で、商品の再送や返金を行う補償対応も行っている。

今では、当たり前の配達形態になっているが、置き配サービスを開始する前には、その社会的な受容性を高めるにはどうすればよいかが課題であった。日頃、お客様からは、せっかく寝付いた赤ちゃんを配達のインターフォンで起こしたくない、女性の場合、すっぴんで配達員に顔を見られたくないなど、さまざまな理由から置き配を希望する声があった。もちろん、荷主であるアマゾンにとってもお客様にとっても、再配達を避けて、一度で商品が受け取れる置き配は魅力的であった。

一方で、当時は米国とは異なり、日本では置き配の認知度はまだ低く、仮に、いたずらに置き配のリスクに焦点を当てるような報道がなされたり、メディアの論調などにより規制当局などから横やりが入ったりすることともなれば、置き配を実現することが難しくなるリスクが想定された。

最悪の場合、例えば、マンションの玄関前など共用部分に置き配する際、消防法では、「（略）廊下、階段、避難口その他の避難上必要な施設について避難の支障になる物件が放置され、又はみだりに存置されないように管理し、かつ、防火戸についてその閉鎖の支障になる物件が存置され、又はみだりに存置されないように管理しなければならない」（消防法第

8条の2の4）とあり、保守的に解釈すれば、消防当局から、マンション共用部での置き配に対して強く規制されるリスクがあった。そこで、置き配に対するポジティブな雰囲気を前もってどう醸成しておくかが課題であった。

再配達削減と省エネ対策の流れに乗る

政府としては、宅配便の再配達率（当時〔２０１７年度〕で16％程度）をいかに削減するかが重要課題となっており、置き配は再配達率を大幅に改善する切り札であることは明白であった。そこで、私は、再配達率を削減したいという目標を掲げている国土交通省と、荷主側の意向をくみ取ってくれる立場にある経済産業省を味方につけて、置き配が多様な受取方法の一つとして広く認知されるような雰囲気を醸成し、一気に置き配の社会的受容性を高めていくことを考えた。

このような考えに至ったのには伏線がある。２０１５年6月に、国土交通省の物流審議官部門物流政策課企画室（当時）が、ＥＣ市場の成長の一方でドライバーの労働力が不足している状況下で再配達率を削減することがいかに重要であるかの認識を共有するために、宅配の再配達の削減に向けた受取方法の多様化の促進等に関する検討会を開催していた。その後、この動きをフォローアップするためには、個々の事業者による取組だけでなく、宅配業界とEC・通信販売業界との間の連携が不可欠であるとの認識の下に、2018年5月に経済産業省と国土交通省の共同により、宅配事業とEC事業の生産性向上連絡会が設置され、私も委員の一人になっていた。

この時点では、コンビニでの受取、住宅における宅配ボックスでの受取、鉄道などの公共的空間での受取が議論の主流であり、置き配にはまだ焦点が当てられておらず、ほんの少しだけ上記連絡会のこれまでの議論のとりまとめの中に置き配の言葉が記載されているだけであった。

もう一つの伏線としては、省エネルギー対策上の荷主に対する規制強化の流れがあった。同年6月にエネルギーの使用の合理化等に関する法律（いわゆる省エネ法）の一部を改正する法律が公布され、貨物の所有権を問わず、契約等で輸送の方法等を決定する事業者も新たに荷主とされ、ネット小売事業者も規律の対象になった。荷主のうち、年度の輸送量が3000万トンキロ以上の者が特定荷主とされ、省エネ法の告示で定める荷主判断基準の遵守が求められることになった。その荷主判断基準の見直しのため、同年8月に、総合資源エネルギー調査会省エネルギー・新エネルギー分科会省エネルギー小委員会の下に荷主判断基準ワーキンググループが設置され、私もオブザーバーの一人になった。荷主判断基準には基準部分と目標部分があるが、その目標部分に小口貨物（主にBtoC）の配送効率向上として、再配達の削減が新規に盛り込まれることとなった。

事務局である資源エネルギー庁省エネルギー課からは、再配達を削減するための新たな仕組みとして、例えば、1回目の配達で受け取った場合のポイント付与や再配達の料金化が提案されていた。いずれの例示も貨物輸送事業者の義務として議論されるべき問題であって、荷主判断基準として荷主に目標として課すことは適当ではなかった。かと言って全部削除する訳にはいかず、どうしようかと思案していたところ、一部の地域で置き配の実証実験を始めたいという社内の声に接したので、省エネ法が後押しになればと思い、荷主判断基準の再配達を削減する新たな仕組みの例として「置き配」という言葉を入れるように要請した。告示とは言え、「置き配」という用語が法令に規定されたのはこれが初めてのことではないかと思う。こういう訳で、物流政策上の観点からも省エネルギー政策上の観点からも、再配達の削減、そしてその方策としての置き配をポジティブに受け止め得る環境ができつつあった訳である。

置き配が実現すれば、アマゾンのお客様の利便性を高めることができるのは間違いなく、ロビイングの仕事の中でもこれほどお客様に近い視点で仕事ができるのは貴重なことであった。

「Customer Obsession」

アマゾンのリーダーシップ・プリンシプルの最初に出て来るのが、「Customer Obsession」という原則であり、その意味としては「リーダーはまずお客様を起点に考え、お客様のニーズに基づき行動します。お客様から信頼を得て、維持していくために全力を尽くします。リーダーは競合にも注意は払いますが、何よりもお客様を中心に考えることにこだわります」と解説されている。

アマゾンの社内では、競合他社がこういうことをしているから、我々はこうしようという議論はない。常にお客様視点で思考、行動することが徹底される。そして、リーダーシップ・プリンシプルの中で「Customer Obsession」と対になっているのが、「Deliver Results」である。その意味は、「リーダーはビジネス上の重要なインプットにフォーカスし、適正な品質でタイムリーにやり遂げます。どのようなハードルに直面しても、立ち向かい、決して妥協しません」とされている。リーダーシップ・プリンシプルの中には16の原則があるが、このうち、「Customer Obsession」と対になっている「Deliver Results」の二つの原則がその中核にある。

アマゾンのミッションは、「地球上で最もお客様を大切にする企業、そして地球上で最高の雇用主となり、地球上で最も安全な職場を提供すること」であるが、インターネットショッピングの場合には、お客様の満足度を高める三つの柱として、品揃え、価格、利便性がある。これらがビジネス上の重要なインプットである。その対局にあるのが、ビジネス上のアウトプットである売上高や利益になる。品揃え、価格、利便性については、社員がフォーカスすれば必ず改善する、つまりコントロールできるのである。しかし、売上高や利益というのはあくまでも結果であって、直接コントロールできるものではない。従って、インプットにフォーカスすることが「Deliver Results」で奨励されている訳であるが、置き配という配達方法の選択肢を増やすことは、利便性を高めることに他ならず、インプットにフォーカスした課題なのである。

アマゾンのリーダーシップ・プリンシプルが私の背中を押し、置き配についてロビイングのアクションを取ろうと決断させた。具体的なアクションとしては、置き配だけに焦点を当てた政府による会合を立ち上げてもらい、メディアの耳目も集め、その会合から物流政策上、省エネルギー政策上の観点からも、置き配が非常に有効な受取方法であるとの結論を出してもらい、政府発信の情報をメディアに乗せることで置き配に対するポジティブな論調を世の中に創出しようと考えた。

先進事例として広報にも成功

早速、経済産業省商務・サービスグループの物流企画室（当時）と国土交通省総合政策局物流政策課を訪問し、置き配に関して今両省が連携して取りあげる必要性を訴えた。これが功を奏して、２０１９年３月に置き配検討会が設置され、置き配の実施にあたっての課題等を整理し、関係省庁や関係業界それぞれにおいて取り得る対応策等の検討が行われることになった。

私もこの検討会の委員になった。第1回の会合では、検討会の冒頭でメディアの取材も入り、予想どおり、新聞やテレビでは、置き配をポジティブに捉えた上で取り上げる報道が多くみられた。第1回の置き配検討会では、併せて、置き配実施企業による取組事例もとりまとめ、検討結果と合わせて広く周知し、関係業界や消費者の意識醸成に繋げていくことも決定された。つまり、この置き配検討会と同時並行して、アマゾンがお客様に安心してご利用いただけるような形で置き配を進めていければ、政府がその取組を事例として紹介までしてくれるという算段である。

ここまでのレールを敷くことができれば、もうほぼ仕事は終わりである。この検討会が開催されている最中に、アマゾンからは置き配指定サービスの対象エリアを拡大することをプレスリリースし、その中で、アマゾンが置き配検討会に参加し、自社だけでなくラストワンマイルに関わる物流業界全体が、新しい配送のあり方を検討・推進できるように協力しているという姿勢も見せることができた。

この置き配検討会では、途中時期があいた時期があったが、最終的には2020年3月に「置き配の現状と実施に向けたポイント」という文書が公表され、置き配実施上の法的課題と対応策について整理された。その結果として、最も気になっていたマンション共用部分での実施に関しては、「これまでの実態等を踏まえると、明確に使用細則等において禁止されていなければ直ちにその実施が妨げられるものではない」「消防法との関連では、（略）消防法第8条の2の4（略）を踏まえ、適切に管理する必要がある。なお、共用部分に、宅配物・生協配送・牛乳配達など、避難の支障とならない少量または小規模の私物を暫定的に置く場合は、長期放置や大量・乱雑な放置等を除き、社会通念上、法的問題にはならないと考えられる」と記載された。これでマンション共用部における置き配が直ちに規制されることは回避された訳である。

また、この文書には予定どおり各社の取組事例も引用され、アマゾンの置き配に関して、玄関だけでなく、宅配ボックス、ガスメーターボックス、自転車のかご、車庫、建物内受付／管理人の中から希望の置き場所が指定できること、専用のアプリを利用して、指定された配達場所に配達が完了した様子の写真を撮影し、お客様に送信し知らせることができること、置き配のリスク対応として、商品が届いていない場合などには、お客様から状況を伺い、商品の再送や返金に対応していることが先進事例として紹介された。

一銭も使わずに、政府をうまく味方につけることで、置き配の社会的受容性を高めることができただけでなく、アマゾンの置き配の取組について政府経由で広報することにも成功した訳である。

(2) クリティカルな案件はエスカレーションを惜しまない
——取引透明化法のケース

取引透明化法の背景

2021年2月1日に施行された「特定デジタルプラットフォームの透明性及び公正性の向上に関する法律(いわゆる取引透明化法)」を題材に、どうしても譲れない、納得できない政策提案についてはとことん交渉先をエスカレーションしていくことを紹介したい。この法律はここ数年いわゆるGAFA規制の代表格としてメディアでもよく取りあげられたものである。

立法化にいたった背景にあるのは、第一にデジタルプラットフォーム(以下、DPF)には利用者の市場アクセスを飛躍的に向上させるという利点があることを前提とした上で、一部の市場では規約の変更や取引拒絶の理由が示されないなど取引の透明性が低いという点、第二にDPF上で商品などを提供している利用者からの要請に対応する手続きや体制が不十分であることなどが挙げられていた。

この法律に至る議論が始まったのは、２０１８年６月に閣議決定された未来投資戦略において、プラットフォーマー型ビジネスの台頭に対応したルール整備について記述されたことが最初である。その後、同年７月から、経済産業省、公正取引委員会および総務省で「デジタル・プラットフォーマーを巡る取引環境整備に関する検討会」が開催され、同年12月にはこれら省庁において、プラットフォーマー型ビジネスの台頭に対応したルール整備の基本原則が公表された。その基本原則の中には、デジタル・プラットフォーマーに関する公正性確保のための透明性を実現するために、「大規模かつ包括的な徹底した調査による取引実態の把握を進める」こと、「デジタル技術やビジネスを含む多様かつ高度な知見を有する専門組織等の創設に向けた検討を進める」ことが提案されている。これを受け、翌２０１９年１月に、公正取引委員会のウェブサイト上にデジタル・プラットフォーマーの取引慣行についての情報提供窓口が設置されるとともに、同年２月からオンラインモール運営事業者やアプリストア運営事業者の取引実態に関するアンケート調査と、ＤＰＦのサービス利用者に対するアンケート調査が実施された。

また、同月に開催された未来投資会議では、内閣官房にデジタル市場の競争状況の評価等を行う専門組織を設置することと、ＤＰＦ企業と利用者間の取引の透明性・公正性の確保の

ための ルールを整備することについて議論がなされ、当時の安倍晋三総理から「（同年の）夏に取りまとめる成長戦略の実行計画において、方針を決定したい」との発言がされている。つまり、取引透明化法という名称はこの時点では表に出ていなかったものの、オンラインモールとアプリストアを最初のターゲットとするDPFの透明性・公正性を確保するための規律をつくる立法事実を集めるために、公正取引委員会が実態調査を実施し、内閣官房に省庁横断的な組織をつくるという筋書きが最初にあって、その筋書きどおりに政府部内の各種会議で決定事項が積み重ねられてきていたのである。そして、その年の夏に取りまとめる成長戦略の実行計画で最終的にオーソライズすると決めたのである。

この背景には、欧州において、同年2月に、オンライン仲介サービスのビジネス・ユーザーを対象とする公正性・透明性の促進に関する規則案（いわゆるP2B〔プラットフォーム・トゥ・ビジネス〕規則）が、欧州議会、欧州理事会、欧州委員会において合意された動きが大きな影響を与えている。というのは、2018年9月の時点で、経済産業省においてこの問題を担当していた当時の課長補佐が、事実上の同省の出先組織である日本機械輸出組合ブラッセル事務所とともに、欧州の同規則案の調査を行っていることからも裏付けられる。この頃までは、オンラインモールやアプリストアを運営している外資系のDPF企業にはこの政策論議に参加する機会は与えられなかったが、開示されていた政府部内の検討状況の資料を見ていても、まだ具体的な規律の内容が定まっているようには見えなかった。そのため、積極的なロビイングも行わずに注意深く静観していた。

議論のお座敷とメンバー

その後、2019年3月に自由民主党（自民党）競争政策調査会において、透明性・公正性を確保するための取扱いおよび個人データの取扱いについて、楽天、ヤフーおよびGAFA各社へのヒアリングが行われ、また、公正取引委員会においてもデジタル・プラットフォーマーに関する取引実態の一環として、個別に各社への聴取調査が始まってはいたが、肝心のルール整備に関する議論に参加する機会は与えられなかった。

具体的なルール整備については、経済産業省、公正取引委員会および総務省で設置していた検討会の下に設置された「透明性・公正性確保等に向けたワーキング・グループ」および「データの移転・開放等の在り方に関するワーキング・グループ」において検討が進んでいたが、DPFを運営する企業からの声を聞かないままに、2019年5月に「取引環境の透明性・公正性確保に向けたルール整備の在り方に関するオプション」および「データの移転・開放等の在り方に関するオプション」が公表された。オプションという名称で政策文書が出されるのは珍しいことだと思うが、例えば前者の文書に「本オプションは、限られた機会の中で行われた報告や議論に基づいて、考えられる選択肢を並べたものであるため、本オプションの射程には一定の限界があり、政策の実現に向けてはより詳細な検討が必要である。したがって、本オプションに記載された方策が将来的に全て実行される、あるいは記載のない方策は採られないといった性質のものではない点に留意が必要である」とわざわざ記載があることから推測すれば、一部の国内企業からのヒアリングは行われたものの、グローバルなDPFを運営する企業を抜きに議論してきた限界と、学識者から出された意見が必ずしも収斂しなかった事情があるように推測していた。実際、各オプションの内容を見ても、非現実的な選択肢を含めて全て検討した結果を机に並べてみましたというような内容になっており、それぞれの選択肢の具体性にも欠ける内容であった。また、本オプションでは、自主規制、法規制、共同規制のそれぞれについて自主性・柔軟性と実効性とのトレードオフ関係に留意して検討すべきとされていたが、共同規制を推すトーンで記載されていた。いわゆる共同規制とは、自主規制の自主性・柔軟性を活かしつつその限界を政府が補完するものであり、例えば、法律で抽象的な規範・原則を定めつつ、その具体化に際しては自主的取組を尊重する仕組みがその典型であると解説されていた。ＤＰＦ側の自主的な取組を尊重しつつも、それが行動規範の要求を満たすものであることを積極的に行政庁やステークホルダーに説明してもらい、対話を通じて取引の透明性・公正性を高めていくルール設計が強調されており、おそらくこれが検討会を運営している事務局のめざす方向であろうと私は読んだ。

こういう方針で議論が進行しているのであれば、声をあげて反対するほどでもないことから、まだロビイングをするには時期尚早であると判断し静観することにした。何度も述べるが、ロビイングを行う上で大事なことの一つは、政府側が何を企図しているのかを読み抜いた上で、行動するタイミングをよく見極めることである。

これはまったく私の憶測でしかないが、おそらく３省庁検討会を取りまわしていた政府側の人たちは、３省庁検討会および各ワーキング・グループのメンバーでは議論をまとめることが難しいと感じ、一旦、各オプションという形で学識者から開陳された意見はすべて取り上げた形にした上で、議論の場（お座敷）とメンバーの変更をしようと考えたのではないだろうか。

実際、安倍総理（当時）の発言どおり、19年6月21日にまとめられた経済財政運営と改革の基本方針２０１９と成長戦略実行計画では、デジタル市場のルール整備が一丁目一番地の政策課題として取りあげられ、内閣官房にデジタル市場競争本部（仮称）を早期に創設すること、20年の通常国会にデジタル・プラットフォーマー取引透明化法（仮称）の提出を図ることが明記され、具体的には、契約条件や取引拒絶事由の明確化・開示、ランキング（商品検索結果の表示順）の明示、DPF企業が自身の商品・役務提供を優遇する場合の開示、最恵国待遇条項（取引先の中で最も有利な取引条件を求めること等）を求める際の開示、あるいは苦情処理システムの整備義務といった項目について検討を行うとされ、概ね、今の取引透明化法の骨格がここで定められた。

ここ数年の重要政策の方針は、毎年6月頃に未来投資会議（菅義偉政権になってから廃止され、成長戦略会議に取って代わっている）で取りまとめられる経済財政運営と改革の基本方針と成長戦略実行計画でレールが敷かれることになっている。3省庁での検討会での議論を一旦終わらせ、一定の方針の下に早く法案をまとめて次期通常国会に提出しないといけない事情から、欧州のP2B規則を踏まえて、法案の骨格についてこのとき書き込んだのであろう。

その後、9月27日に、内閣官房長官を本部長とするデジタル市場競争本部の設置が閣議で決定され、実質的に本部機能を担う事務局が置かれ、3省庁から出向または併任という形で職員が派遣されている。デジタル市場競争本部自体は関係閣僚で構成される組織であるので、取引透明化法（仮称）については、関係閣僚と有識者で構成されるデジタル市場競争会議と、同会議の下に置かれた有識者のみで構成されるワーキンググループという新しいお座敷で議論することになった。

表舞台と裏舞台

同年10月から始まったデジタル市場競争会議とワーキンググループにおける取引透明化法案（仮称）についての議論は、大規模なオンラインモール、アプリマーケットを対象として、取引条件の開示を促し、ＤＰＦ側に定期的な報告・公表とモニタリング・レビューを課すという内容になっており、この点については、デジタル市場競争本部事務局が描いているであろうと想像していたものと一致していたので安堵した。

しかしながら、一点、「上記に加え、一定の遵守事項を設けるべきか。（公取委の実態調査結果（今後公表予定）も踏まえ判断）」という言葉が、同会議およびワーキンググループの資料に記載されていたので、この点は特に注視することにした。というのは、ある特定の行為を遵守事項として列挙し、正当な理由がない限りこれらの行為をしてはならないという取引環境の改善に関する規律は、欧州のＰ２Ｂ規則には見られないものであり、仮に独占禁止法で禁止する行為と異なったりすれば二重行政になるおそれがあったからである。ましてや、この時点では、取引透明化法案（仮称）が独占禁止法の補完法なのかどうか、主務大臣が誰になるのかが分からず、仮に独占禁止法とは並列の法律となり、主務大臣が経済産業大臣にでもなれば、ますます二重行政となる可能性が高かった。

ちなみに、下請代金支払遅延等防止法（いわゆる下請法）という独占禁止法の補完法の場合には、公正取引委員会が書面調査など主体的な役割を果たし、独占禁止法との関係についても、仮に公正取引委員会が下請法上の勧告をして、親事業者がその勧告に従ったときには、親事業者のその勧告に係る行為については独占禁止法の関連規定を適用しないという調整条項が設けられている。しかし、取引透明化法案（仮称）については、下請法のように独占禁止法の補完法であるという位置づけもなく、同法の調整条項についても議論された形跡がなかった。

また、デジタル市場競争会議の資料には、モニタリング・レビューの実施という方向性についても記載があった。これは、もともと「コンプライ・オア・エクスプレイン」という、「遵守せよ、さもなくば、説明せよ」という一部の欧州の国のコーポレートガバナンスにおける規制のアプローチの考え方にヒントを得たものであり、デジタル・プラットフォーマーが毎年度、運営状況を国に報告し、国がDPFの利用事業者等の声を踏まえてレビューを行い、必要があれば勧告や企業名の公表を行うという考えであった。共同規制を実現するためにデジタル・プラットフォーマー側に配慮した提案のように一見見えなくもないが、欧州のP2B規則には、欧州委員会やオンラインプラットフォーム経済監視委員会が、個々のデジタル・プラットフォーマーの対応状況に干渉する仕組みはなく、下請法のように必要がある場合に政府が調査、報告徴収すれば十分であるように感じた。これは日本に限られたことでもないが、ロビイングには表舞台で行うものと裏舞台で行うものがある。日本で言えば、表舞台とは、デジタル市場競争会議やそのワーキンググループになる。当然、表舞台での議論は、政府側も規制を受ける側もポジショントークになりがちである。アマゾンを含めてGAFA企業はこの年の11月12日に表舞台のヒアリングに呼ばれた。当然アマゾンからの意見陳述としては、あらゆる政策はオンラインだけでなく、オフラインの小売事業者にも公平に適用されるべきであること、一定規模以上のDPFにのみ規律を課すことは疑問であること、モニタリング・レビューのような仕組みは欧州にはないこと、を述べた上で、遵守事項については、独占禁止法で禁止される行為の範囲ないし基準を大幅に緩和して二重に規制を行うのであれば、強く反対すると述べた。この最後の主張は譲れない点であったので、強いトーンで主張した。

時期的に考えて、年明けの通常国会に法案を提出するならば、年内にデジタル市場競争会議が開催されて法案の骨格が決定される可能性があった。表舞台だけでなく、裏舞台での交渉が必要と感じた。今回の法案の骨格を検討しているのは内閣官房のデジタル市場競争本部事務局であるが、当然、同事務局と交渉するだけでは安心できないので、他にも当たる必要があるとは踏んでいたが、こういうときはまずは正面から担当部局ときっちり話をすることが一種の礼儀であり、当局の腹づもりがどの程度固いものなのかを探る必要もあった。

同月25日にデジタル市場競争本部事務局を訪問し、遵守事項とモニタリング・レビューについてはEUのP2B規則には見られないし、二重行政になるという点を主張した。予想どおり議論は並行線で終わったため、これはエスカレーションするしかないと確信した。事務局に対して強く意見が言えるところはどこか。当然、事務局の上司にあたる内閣官房長官や経済再生担当大臣は強い立場にある訳であるが、担当大臣への接触はすべて事務局の掌中にある訳であるから、面会は非現実的であるし、仮に面会できたとしても事務局に任せてあると言われて終わりである。また、ここまで論点が絞られてきた段階では、デジタル市場競争会議やそのワーキンググループのメンバーである有識者にはさほどの影響力はない。

残された選択肢は、自民党の競争政策調査会のメンバーになる。事務局が法案を国会に提出する前には、必ず与党の関係部会の了承や条文審査を経なければならず、競争政策調査会のメンバーが納得しないものは差し戻される可能性すらあるからである。私は、精力的に競争政策調査会の会長、幹事長、事務局長を始め、直近の同会合に参加した自民党の議員を回り、遵守事項とモニタリング・レビューの問題点を説明していった。また、このデジタル市場のルール整備の問題は自民党側でも当時重要政策であったことから、政務調査会の会長を始め幹部にも説明して回った。

「Have Backbone; Disagree and Commit」

アマゾンのリーダーシップ・プリンシプルの中に、「Have Backbone; Disagree and Commit」というものがある。その意味は、「リーダーは同意できない場合には、敬意をもって異議を唱えなければなりません。たとえそうすることが面倒で労力を要することであっても、例外はありません。リーダーは、信念を持ち、容易にあきらめません。安易に妥協して馴れ合うことはしません。しかし、いざ決定がなされたら、全面的にコミットして取り組みます」というものである。

例えば、社内の会議で、自分よりも職位が上の社員に対しても、同意できない場合にははっきりと異論を唱えることが奨励されている。異論があるのに黙ってやり過ごすのはアマゾンではまったく評価されない。ただ、その会議の議論の結果、自分がその結果に同意できない部分が残っていたとしても、組織として決まった以上、全面的にコミットすることが求められる。

これは、ロビイングを実践する際にも有効な考え方である。政府や与党内での議論で納得できない点があるのであれば、故意に見過ごしたり、他社のロビイングに任せたりせずに、「Ownership」をもって、交渉相手をどんどんエスカレーションして働きかける必要がある。この「Ownership」もアマゾンのリーダーシップ・プリンシプルでは、「リーダーはオーナーです。リーダーは長期的視点で考え、短期的な結果のために、長期的な価値を犠牲にしません。リーダーは自分のチームだけでなく、会社全体のために行動します。リーダーは「それは私の仕事ではありません」とは決して口にしません」と解説で取りあげられている重要な原則である。

アマゾンが、明らかに取引透明化法案（仮称）の規律の対象であることもあったのであろうが、どんな重鎮の国会議員であっても私の面談の申出に快く応じ、私の説明にじっくり耳を傾けてくれたのは大変ありがたかった。諸外国の中には、非常に政治的な思惑だけで政策が立案されたり、準備期間もなしに突然に新たな政策が施行されたりする国があることは社内で度々耳にしていたので、それに比べれば、日本の政策立案プロセスは透明であり、民主的であると常に感じている。

その後、デジタル市場競争本部事務局と自民党との間でどのような会話がなされたのかは知る由もないが、12月の中旬に、これまでの法案の骨子とは異なり、遵守事項の部分が削除された案が表舞台で並行して取りあげられるようになった。デジタル市場競争本部と併任している経済産業省の担当課長からも、遵守事項の部分を削除する案について内々に説明を受けた。

あいにく、モニタリング・レビューについては法案の中に残された。この時点でロビイングの効果があったことは確信した。そして、同時並行的に、デジタル市場競争本部事務局が内閣法制局の最終審査を経ていたと思われるが、最終的には翌年2020年1月28日のデジタル市場競争会議において、遵守事項が削除された形で「特定デジタルプラットフォームの透明性及び公正性の向上に関する法律案（仮称）」が提案され、了承された。自民党においても1月31日の経済産業部会・競争政策調査会の合同会議において、同様に了承された。この時点で法律レベルのロビイングは終了した。

2月5日に自民党の経済産業部会・総務部会・情報通信戦略調査会・競争政策調査会の合同会議において、他の情報通信関係の法案とともに、同法案の条文審査が行われ、18日に閣議決定された。条文の内容は、これまでの交渉をすべて反映したものになっていた。

(3) グローバルルールに合わせる
――試験・研究用の無線設備の利用を迅速化したケース

厳しい日本の電波法

数年かけて日本の制度を欧米の制度に合わせていった話をしよう。それは調査・研究用に使用する無線設備の技術基準適合証明(いわゆる技適マーク)に関することである。米国カリフォルニア州サニーベールにAmazon Lab126というアマゾンが製造販売する電子機器の研究開発拠点がある。電子書籍リーダーのキンドル、ファイヤー・タブレット、スマートスピーカーのエコーなどを開発している。何故126なのかというのは、アルファベットのA(1番目のアルファベット)からZ(26番目のアルファベット)までを示す、アマゾンに来ていただければ何でもとり揃っていますよというメッセージに由来している。

このLab126から、２０１７年の初頭に相談を受けた。「まだ発売前の試験研究段階であるにもかかわらず、日本で無線設備の試験をしようとすると技術基準適合証明をとらなければならない。欧米ではそんなことは要求されていないのに、いろんな機種について試行錯誤する度に、日本だけの要求に合わせて技術基準適合証明をとらねばならず、研究開発のスケジュール管理に支障が出ている。試験研究段階であれば、技術基準適合証明の取得は不要であるように規制当局に働きかけられないか」、と言うのだ。アマゾンが製造販売する電子機器については、例えば、日本のお客様に販売する前に、アマゾンジャパンの社員が厳しい守秘義務の下で試験的に使ってみて使い勝手をフィードバックし、改善を重ねてから販売している。私も社内での試験に参加したことがあるが、自分の手元に届いた試験用の電子機器を見ると、技適マークがすでに刻印されており、試験研究段階でも日本だけは技術基準適合証明を取得していた。

日本では、一部微弱電波を出すようなものを除いては、電波法上では無線機器を使用する者が無線局を開設しようとする者として規制を受けることになっている。しかし、今私たちの身の回りには無線設備が溢れており、ワイファイ、ブルートゥースと呼ばれている無線規格は、携帯電話やタブレットだけに限らず、白物家電やおもちゃなどにも使われている。これらの製品を利用する一人一人が無線局の開設免許を取得することは非現実的であるので、あらかじめ技術基準適合証明を取得した特定の無線設備については、総務大臣から免許を取得することが免除されている。電波法（当時）の下で、技術基準適合証明を取得しなくても、個別に実験試験局の免許を取得してから試験・研究に無線設備を使用するという道もあったが、アマゾンのような一般消費者向けの電子機器を販売する企業にとっては、短期的かつ集中的に多数の者が試験・研究に携わる必要があるので、解決策にはならない。電波暗室を用いて、外部での電界強度が微弱無線局の許容値以下となるような形で試験することも現実的ではなかった。日本の電波法が使用者規制になっていることに比べ、米国では流通規制になっているため、販売や市場投入のためではなく製品開発や市場適合性等を見極めるための試験や評価のためであれば、４０００台を上限に無線設備を輸入することが可能となっていた。単純比較はできないにしろ、明らかに試験・研究用の無線設備の使用に関しては、日本の電波法は厳しくなっていた。

一企業からの要望か、業界からの要望か

電波法をよく読んでみると、2015年に公布された改正電波法において、訪日観光客が日本国内に持ち込むワイファイやブルートゥース端末は、電波法で定める技術基準に適合する場合には、日本国内での利用が入国から90日以内に限って可能となっていた。アマゾンが試験・研究する電子機器も、ワイファイやブルートゥースのように広く日本国内ですでに利用されている無線規格しか使っておらず、電波法で定める技術基準に適合している。訪日観光客が持ち込む無線設備と、企業が試験・研究用に持ち込む無線設備がまったく同じ無線規格を使用しているのに、なぜ前者は許されて、後者は許されないのかの理屈はなかった。直観的に、これは制度改正を総務省に申し入れてしかるべき案件であると判断した。

ロビイングを行う際にタイミングを見極めるべきことが大事であると述べたが、この無線機器の問題は、企業側から政府側に積極的に働きかけるべき案件であり、迷うことなく即時に着手すべき課題であった。タイミング以外に考えるべきは、どこに対して、誰の名前でロビイングを行うべきかであった。

電波法を所管している総務省電波部と交渉すべきであることは明白なのであるが、果たしてそれだけで足りるのかと考えた。電波部は主として技術系官僚で構成されているが、法執行担当の課や班に直接申し入れたところで、耳を傾けてくれるかどうかには不安があった。

少なくとも電波部の企画部門にいるキャリア官僚がやる気になってくれるような環境を整える必要があるだろうと考えた。そこで、電波部に直接話をするとしても、併せて内閣府の規制改革推進会議が運営している規制改革ホットラインにも提出して、同会議でも取りあげてもらうことを決めた。

次に誰の名前でロビイングを行うかである。私企業名で活動することにレピュテーション（評判）上のリスクがなく、他に同調する企業もなさそうな場合には私企業名でロビイングすることもあるが、この無線機器の問題は電子機器を製造している他の米系企業も賛同してくれるのではないかと考え、在日米国商工会議所の協力を得て同商工会議所の名前で活動することが良策だと考えた。このような団体名で活動することは、規制当局側が一企業ではなく、業界としての要望であると受け止めてくれるというメリットがある。その反面、団体の会員企業間で意見の相違やコンフリクトがあると、クリアなメッセージが出しづらいというデメリットがある。しかし、この無線機器の問題に関しては、他企業から異なる意見が出る可能性はなかった。

政策立案者向けのストーリーをつくる

さっそく、同商工会議所名で規制改革推進会議宛ての提案をドラフトし、所内の了承を得て、２０１７年９月に提出した。規制改革ホットラインはいつでも誰でも規制改革の提案ができるという意味で良い仕組みなのではあるが、大量に要望が届くことと、規制改革推進会議としての検討のプライオリティに左右されてしまう。そのため、ほとんどの提案については規制所管官庁から事務的な回答がなされるだけに終わってしまう。そこで、まずは規制改革推進会議を運営している内閣府の規制改革推進室の担当参事官に面会し、規制改革推進会議が本件に優先的に取り組むべき必要性を訴えた。規制改革推進室から遅かれ早かれ総務省電波部へ連絡が入ることは目に見えていたので、次に同年11月末に総務省電波部電波政策課長に直接要望内容を説明することにした。電波政策課長からは、現在、総務省で進めている電波有効利用成長戦略懇談会で取りあげることができるかもしれないという示唆を得た。

先に述べた訪日観光客が日本国内に持ち込む無線設備に関する例外は、電波法第４条の２で規定されている。仮に、今回の試験・研究用の無線設備についての例外をつくるとすれば、電波法自体を改正し、国会を通さなければならない。総務大臣が出席している同懇談会で、試験・研究用無線設備についての対応を提言として出してもらうことが必要と感じた。ありがたいことに、規制改革推進室から、年明け２０１８年１月に開催する規制改革推進会議の投資等ワーキング・グループにおいてこの問題を取りあげるので、在日米国商工会議所から説明してほしいとの連絡があり、同会議所のインターネット・エコノミー・タスクフォース委員として説明を行った。

総務省には、電波有効利用成長戦略懇談会においても事業者ヒアリングの一環として在日米国商工会議所を呼んでほしいとお願いをし続けた。ヒアリングを実現する前提として、同懇談会が検討すべき課題について意見募集を行っていたので、意見の提出もした。規制改革推進会議による働きかけの効果があってか、ようやく総務省から、2月28日の懇談会において正式に在日米国商工会議所から意見陳述をしてほしいとの依頼があった。当日、副大臣以下総務省の幹部陪席の中で在日米国商工会議所を代表してプレゼンを行い、一部の懇談会の構成員からも賛意のコメントをいただいた。

実は、この懇談会の前に、一部の構成員には個別に面会をお願いし、根回しをしていたのである。この試験・研究用無線機器の技術基準適合証明の件は、日本の制度と米国との制度との間に違いがあり、日本のほうが厳しい内容になっていることは明白であること、あらゆるモノが無線でつながるIoT（モノのインターネット）時代にふさわしい規制緩和提案であるということから、非常に通りの良い要望内容であった。

ロビイングをする際には、自社の困っている事情をそのままぶつけるのではなく、政策立案者が飲み込みやすいストーリーをあらかじめ作って、政策立案者の思考回路や言葉で交渉することが肝要である。そういう意味で、今回の課題は、懇談会の構成員にある意味正々堂々と根回しができるようなストーリーに仕上がっていた訳である。

「Invent and Simplify」

アマゾンのリーダーシップ・プリンシプルの中に「Invent and Simplify」という原則がある。意味としては、「リーダーはチームにイノベーション（革新）とインベンション（創造）を求め、それをシンプルに体現する方法を常に模索します。リーダーは常に外部の状況に目を光らせ、あらゆる機会をとらえて新しいアイデアを探しだします。それは、自分たちが生み出したものだけにとらわれません。私たちは新しいアイデアを実行に移す時、長期間にわたり、外部の理解を得ることができない可能性があることも受け入れます」というものである。

この原則は、例えば、スマートスピーカーのような、これまでにないような新技術を搭載した製品を生み出すようなアイデア出しを社員に奨励しているというものが代表例であろう。

私はロビイングの世界においては、例えば、政府側に要望する際に、いかに平易な言葉で、シンプルなロジックで説得できるようなストーリーを考えるか、ということも、「Invent and Simplify」だと考えている。

私は、アインシュタインの名言の一つと言われている「If you can't explain it simply, you don't understand it well enough.（もし、ものごとをシンプルに説明することができないのであれば、あなたはそれを十分に理解していないということだ）」という言葉が好きで、職場のデスクの前に貼っていた。ロビイングで取り扱う問題が複雑であればあるほど、問題の所在を明らかにし、法令上のどの変更を求めるのかを同定し、そして、政策立案者に対してシンプルで説得的なストーリーを考えることにかなりの時間をかける。簡単なように見えるかもしれないが、長年の経験が必要な作業である。その後、電波有効利用成長戦略懇談会では、2018年8月31日に発表された報告書において、「調査・研究等用端末の利用の迅速化」という課題を項目として立てた上で、「電波法に定める技術基準に相当する技術基準に適合する無線設備を我が国で割り当てている周波数帯において調査、研究、試験等の用途で一定期間利用する場合に限り、当該無線設備を迅速に利用できるようにする新たな仕組みを作ることが適当である」と結論づけられた。

この懇談会の報告書を踏まえ、総務省において電波法の改正作業が進められ、国会に提出、承認され、2019年5月17日に電波法の一部を改正する法律が公布された。同年11月20日に改正法が施行され、我が国の技術基準に相当する技術基準に適合するワイファイ等の無線設備を使用する実験等無線局については、総務大臣に届出をした場合は、当該届出の日から最長180日間に限り、開設・運用ができる特例制度が開始されたのである。最初にこの問題を探知してから2年9カ月かけて、ようやく当初の目標が達成されたことになる。

(4) 真のレベルプレイングフィールドの確保
——課税論議は電子書籍分野にとどまらない

「海外事業者の電子書籍にはなぜ消費税がかからないのか」

グローバル企業の納税問題は、常に世間の耳目を集めるテーマである。適切に納税していてもサービスを提供している各国毎には納税額を開示していないことがあるために、納税していないのではないかとの誤解が都市伝説になるケースがある。また、グローバル企業側に瑕疵《かし》がないにもかかわらず、税制自体に不備があり批判の対象になるような場合もある。

今も、経済のデジタル化が進む中で、デジタル企業などによる市場国への税源配分や全世界ミニマム課税の問題が注目されているが、２０１２年頃からインターネット等を通じて国外から行われる役務の提供に対する消費税課税の問題が話題になりかけていた。というのは、当時、５％の消費税率を14年４月に８％、翌15年10月に10％に引き上げる消費増税関連法案が世の中を賑わせていた。

同時に、いよいよ日本で電子書籍が本格的なビジネスとして花開くことが期待されていたタイミングでもあった。楽天が、11年８月に電子書籍ストアを開設し、同年11月にはカナダの電子書籍事業者Ｋｏｂｏ社を買収することを発表していた。また、日本の出版社は、後ほど電子出版権の話の際に触れるが、翌12年４月に株式会社出版デジタル機構を設立し経済産業省も支援するなど、〝国産〟電子書籍市場の立ち上げに誰もが躍起になっていた。

そんなときに、一部の国内の大手企業において、ロビー活動の準備が始められていた。その言い分はこうだ。「当時の日本の消費税制度では、国内事業者がインターネット等を通じて、電子書籍ストアなどの役務を提供する際には、国内取引として消費税が課税されるのに対し、国外事業者が提供する場合には国外取引として消費税が不課税になっている。そのために、これから消費税率が上がれば上がるほど、事業者間の競争条件の歪《ひず》みがますます大きくなる。産業政策的にも早急に消費税制度の改正が必要である」、というのだ。例えば、国内の消費者が税抜価格1000円の電子書籍を購入する場合、国外事業者から購入する場合には不課税なので1000円で購入できるが、国内事業者から購入する場合には課税取引になるので消費者は1100円（消費税が10％の場合）支払う必要があるので、国内事業者にとっては不利だ、という主張だ。

財務省、税制調査会の動き

財務省では、遅まきながら、12年7月に「国境を越えた役務の提供等に対する消費税の課税の在り方に関する研究会」が立ち上げられていた。遅まきながらというのは、すでに、OECD（経済協力開発機構）の租税委員会では、「課税と電子商取引－オタワ課税枠組み条件の実施－」が2001年に、「オタワ課税枠組み条件の実施」が03年に公表されており、BtoB取引については、消費地はサービスの受領者が事業実態を有する場所とし、リバースチャージ方式（仕入事業者が国外からの役務提供等に係る付加価値税を申告する方式）が望ましいこと、BtoC取引については、消費地はサービスの受領者が通常居住する場所とし、当面の対応としては国外の販売事業者が消費地において課税当局に登録して納税する方式が望ましいこと、という勧告が出されていたからである。その後ＯＥＣＤでは詳細なガイドラインを策定すべく議論がなされていたが、欧州では事業者向け（BtoB）取引の場合と消費者向け（BtoC）取引の場合を区別した上で、それぞれについて内外判定基準や課税方式を定める指令が出されていた。

そんな状況の中、アマゾンは、12年10月に日本向けの電子書籍キンドルストアを開設した。２０１３年に入り、一部の国内大手企業や大手書店は、水面下で財務省出身の国会議員に接触し、国会質疑でも本問題を提起し、同年６月に「ＩＴ推進と公正な消費課税を実現する議員連盟」が立ち上げられ、８月には経団連会館において「インターネットサービスにおける公正な消費税課税を求めるフォーラム」が賛同する国内企業によって開催される。そして、10月には、税制の中長期的な検討を行う正式な場である政府の税制調査会が、本件を審議するために国際課税ディスカッショングループの開催を決める。これに伴い、財務省に設置、検討されていた「国境を越えた役務の提供等に対する消費税の課税の在り方に関する研究会」は、11月に検討結果をとりまとめ、政府の税制調査会にバトンを渡すことになった。

毎年年末に与党の税制調査会と政府の税制調査会の両方で税制改正大綱が発表されることになっていることから、ますます国内企業のロビー活動は熱を増し、11月には公益財団法人文字・活字文化推進機構、海外事業者に公平な課税適用を求める対策会議、インターネットサービスにおける公正な消費課税を求める連絡会が主催する形で、海外事業者に公平な課税適用を求める緊急フォーラムが開催され、国会議員35名も参加したと報告されている。

結局、自民党および公明党の平成26年度税制改正大綱では、「国境を越えた役務の提供等に対する消費税の課税のあり方については、国際機関や欧州諸国における対応状況等を踏まえ、内外判定基準の見直し及びそれに応じた適切な課税方式について、リバースチャージ方式の導入も含めて、平成27年度税制改正に向けて具体的に検討する」とされた。同じく、閣議決定された政府の平成26年度税制改正の大綱では本件については触れられなかった。

私は与党と政府のそれぞれの大綱はこうなるだろうと予想していた。本件のように中長期的な国際課税課題は与党の税制調査会ではなく、政府の税制調査会で審議されるのが通常であり、政府の税制調査会では国際課税ディスカッショングループで検討途上であった訳なので、政府の大綱では具体的には書けないことは分かっていた。

アマゾンは最初から反対ではなかった

年が明け、2014年となり、財務省主税局税制第二課から私に連絡が入った。4月以降に政府税制調査会に事務局として具体案を提出する予定であるので、非公式に事前に説明したいとのことであった。財務省の提案は、消費者向け（BtoC）取引を「電気通信回線を通じて行う著作物の提供その他の電気通信回線を通じて行う役務の提供のうち、その役務の性質や取引条件等から、役務の提供を受ける者が事業者であることが明らかでないもの」と定義した上で、国外事業者に申告納税義務を課すこととするというものであった。ただし、国内事業者が役務提供を受けた場合の仕入税額控除の扱いについては、執行管轄の及ばない膨大な国外事業者からの適正な納税を確保することには限界があることを踏まえ、慎重な検討が必要とされていた。また、事業者向け（BtoB）取引については、納税義務に関して役務提供を受ける国内事業者に転換する（リバースチャージ方式）とされていた。

この問題について激しいロビー活動をしていた国内の大手企業や大手書店、そして盛んに本件を熱く報道していたメディアは、アマゾンが制度の導入に反対すると予想していたのかもしれない。だが、実際はまったく反対しておらず、対外的に反対と表明したことはなかった。実際に、この越境役務取引に係る消費税のルールに関しては、そもそもＯＥＣＤにおいてその当時、すでに10年以上前に勧告が出されていた問題であり、日本の税制上放置されていた問題であった。電子書籍はこれからの成長株であるにもかかわらず、国内事業者と国外事業者との間で消費税分だけの価格競争力があるので、早急に税制改正してイコールフッティング（レベルプレイングフィールドの確保）にしなければならないという論調は至極最もであった。

むしろ珍妙だったのは、メディアの論調や一部の国会議員の主張が、やたらに電子書籍だけを取り上げている点であった。この越境役務取引の消費税の問題は、「電気通信回線を通じて行う著作物の提供その他の電気通信回線を通じて行う役務の提供」が対象であるから、対象になるのは電子書籍だけではなく、デジタルコンテンツの配信、ソフトウェアの配信、クラウドコンピューティングサービス、広告配信、オンラインのコンサルティングサービスなど、オンラインで海外から提供されるサービスのかなりの部分が対象になる。

また、蛇足になるが、電子書籍については、アマゾンの日本向けのキンドルストアの場合、大手の出版社の電子書籍は、アマゾンではなく、大手の出版社が販売者になっている場合がほとんどであり、その場合には大手の出版社は国内事業者なので、すでに消費税が課された状態で配信されていた。ちなみに、大手の出版社が販売者となっているのは、値付けを自らが行いたいという強い意向を持っていたからである。にもかかわらず、メディアや一部の国会議員は、電子書籍ばかりを例に挙げてこの問題の早期解決を主張していた。

その論調を否定はしないし、日本も早くOECDのルールに従った税制にしたほうがいいと考えていたが、あまりにも電子書籍のケースが誇張されすぎて、この問題が他にどんな役務提供サービスに影響を与えるのか、また、後述するが、仕入税額控除を認めないことによりどんな弊害が生じるのかについて、冷静に議論できる雰囲気ではなかった。

外資系企業が求める「1国2制度」の解消

外野は冷静な雰囲気ではなかったが、財務省は終始冷静に本件の検討を進めていた。財務省の提案内容に関して、私から申し上げたのは次の二点であった。

一つは、その役務の性質や取引条件等から事業者向けであることが明らかでないものが消費者向け取引と定義されていて、一体どうやって役務の性質や取引条件から判断するのかが不明瞭である点であった。財務省は例として、広告配信は明らかに事業者向けであると言えるが、クラウドコンピューティングサービスについては明らかに事業者向けであると言えるものと、そうとは言えないものがあるのではないかとしていた。確かに、企業に属するエンジニアがシステム構築に利用するようなクラウドコンピューティングサービスであっても、コンピュータサイエンスを専攻する学生が利用するようなことももちろんあるので、そのサービスの取引条件では事業者向けであるとは限定されていない。そうなると、各地の税務署からこのようなクラウドコンピューティングサービスも事業者向け取引とはみなせないと烙印を押される可能性がある。事業者向けとみなされなければ、自動的に消費者向け取引になってしまう。判断基準が不明確なままだと、各税務署による判断に違いが出るおそれがあった。

二つ目の懸念点は、消費者向け取引について、国内事業者が役務提供を受けた場合の仕入税額控除については慎重な検討が必要であるとして、事実上認めないという方針を示している点であった。消費税の仕入税額控除というのは、課税事業者が納税すべき消費税を計算する際に、売上に係る消費税から仕入れに係った消費税を差し引いて計算することで、消費税の二重課税を解消する制度である。仮に、仕入税額控除が認められない場合、電子書籍のようなデジタルコンテンツの配信であれば金額的に大したことはないが、エンタープライズ向けのソフトウェアの配信やクラウドコンピューティングサービスの場合には、取引価格も大きくなる。日本の消費者が国外事業者からこれらのサービスを購入する場合には、仕入れに係った消費税を控除できないので、経済的に不利益を被る可能性があった。そうなれば、日本の消費者はこれらのサービスを国外事業者からではなく、国内事業者から調達しようという意向が働く可能性があるので、国外事業者が不利になるという、逆の意味でレベルプレイングフィールドが確保できなくなる可能性があった。国内の大手企業や大手書店は、この越境役務取引に係る消費税の問題を例に挙げて、国外事業者よりも国内事業者が不利になっている「1国2制度」は受け入れられないと主張していたが、外資系企業こそ過去にさまざまな非関税障壁などに悩まされ、歴史的に「1国2制度」は受け入れられないと主張してきたのである。レベルプレイングフィールドの確保は、内資系の企業だけでなく、外資系の企業にとっても最重要事項なのである。

「Insist on the Highest Standards」と「Bias for Action」

ここでアマゾンのリーダーシップ・プリンシプルを振り返ることになる。その一つに「Insist on the Highest Standards」という原則がある。その意味は「リーダーは常に高い水準を追求することにこだわります。この水準が必要以上に高いと感じる人も少なくはありません。リーダーは継続的に求める水準を引き上げ、チームがより品質の高い商品やサービス、プロセスを実現できるように推進します。リーダーは水準を満たさないものは実行せず、見逃さず、問題が起こった際は確実に解決し、徹底的な再発防止策を講じます」とされている。

財務省の提案の方向性にはまったく異論はないが、先に述べた二点については問題点を指摘し、改善しておかないといけないと考えた。これはアマゾンの電子書籍事業のためではなく、越境役務取引を行う国外事業者とその多くの国内のお客様のためであった。

ここでリーダーシップ・プリンシプルにある「Bias for Action」の原則により、ただちに行動に移した。その原則の意味は「ビジネスではスピードが重要です。多くの意思決定や行動はやり直すことができるため、過剰な調査や検討に時間をかける必要はありません。計算されたリスクを取ることに価値があります」である。

早速、財務省に伝えた二つの懸念点を分かりやすく紙にしたため、この問題に関心を寄せていて税制に詳しい国会議員を個別に訪問していった。国会議員との面談の際には、この問題に入るまえに、アマゾンの納税に関するスタンスや日本における納税の状況について誤解があるといけないので、冒頭に説明していった。中には、参議院の予算委員会でアマゾンの納税に関して誤った事実認識の下に質問をした国会議員もいたので、個別に正確な事実関係を説明した。いずれの国会議員も、私の問題提起に耳を傾けてくれ、特に消費者向け取引になった場合に、仕入税額控除が認められない点については共感してもらえた。

その中で、当時の民主党の参議院議員から、議員立法の準備をしているので意見を聞かせてくれとの依頼があったので、事業者向け取引と消費者向け取引の区別の問題と、消費者向け取引における仕入税額控除の問題について説明した。この議員立法に関しては、その後審議が現実のものとなっていく。当時の民主党が、みんな、維新、次世代、改革、生活の野党6党共同で、政府に対して早期に税制見直しを促すための「インターネット等を通じて国外から行われる役務の提供に対する消費税課税の適正化のための措置に関する法律案」を議員立法として国会に提出したのである。法律案はいわゆるプログラム法とでも言うべきもので、税制の見直しの方向性について3条の条文で簡潔に規定する内容のものであり、何ら驚くような法案ではなかった。

レベルプレイングフィールドの実現

2014年11月18日に開催された参議院財政金融委員会での同法案の参考人質疑には、国内大手企業や大手書店とともに私も呼ばれ、10分間の意見陳述をすることとなった。私にとっては、消費者向け取引と事業者向け取引の線引きの問題と、消費者向け取引になった場合の仕入税額控除の取扱いについて、訴えかける良い場であったので、快く意見陳述を引き受けた。

私は、今回の越境役務提供に係る消費税の問題ではいたずらに電子書籍ばかりに焦点が当たっているので、電子書籍という言葉をあえて使わずに、文書作成や表計算のソフトウェアのダウンロードやクラウドコンピューティングサービスの例を出して、仕入税額控除を認めないこのままの制度設計だと国内事業者が経済的な不利益を被る可能性があることを説明した。そして、具体的な提案として、国内事業者が国外事業者から役務提供を受けた場合に、消費税について記載のある国外事業者が発行する領収証を保管すれば、仕入税額控除の利用が認められるようにできないかという点と、各税務署により事業者向け取引と消費者向け取引の区別に差異が生じないように、公平、中立な判断基準を整備してもらえないかという点を提案した。

同委員会での質疑では、専門技術的な指摘であっただけに仕入税額控除の問題点をすぐに理解できた国会議員は少なかったようだが、他の参考人とは異なりピンポイントかつ論理的に問題点を指摘したからか、同委員会に参加していた国会議員からの信頼を得、今でも会う度にざっくばらんな話のできる良い関係ができている。

この委員会終了後、財務省から招かれ、再度、仕入税額控除の問題点についてのヒアリングを受けた。財務省主税局税制第二課の職員は、国会の会議録を取り寄せ、私の発言部分をハイライトしていた。財務省からは、例えば、国外事業者に国税庁に登録してもらって、その登録国外事業者が登録番号付きで発行した請求書等を国内事業者がきちんと保存していた場合に、仕入税額控除を認めるという制度にするのであればどうか、と打診があった。粘り強く交渉して来た成果があった。当初は慎重な検討が必要とされていた問題を実現することができた。私の説明に耳を傾けてくれた国会議員にも御礼を申し上げたい。

その後、財務省内での検討が進み、最終的には以下のような内容で平成27年度税制改正の大綱が2015年1月14日に閣議で決定された（自民党・公明党でも先んじて同内容の決定がなされている）。「当分の間、国外事業者から提供を受けた消費者向け電気通信役務の提供については、その課税仕入れに係る消費税につき、仕入税額控除制度の適用を認めない。ただし、（略）登録国外事業者に該当する者から受けた消費者向け電気通信役務の提供については、当該登録国外事業者の登録番号等が記載された請求書等の保存等を要件として、その課税仕入れに係る消費税につき仕入税額控除制度の適用を認める」。

その後、15年7月1日から登録国外事業者の登録申請の受付が開始され、国税庁のホームページによれば、23年9月30日現在で156の登録国外事業者が一覧になって公表されている。

（5）政府間交渉の力を借りる――EUの The Goods Package のケース

現地の公共政策チームが必要な理由

ロビー活動は、ある国で公共政策上の問題がある場合には、その国に存在する公共政策チームが対応するのが通常である。ドメスティックな企業であれば当然のことであるが、グローバルな企業の場合でも規模が大きくなればなるほどそうだと言える。スタートアップ企業であれば、本国にいる公共政策チームがその企業の顧客が存在する国の公共政策上の問題を扱う場合もあるが、現地の外部コンサルタントの協力を得たとしても、実際には他国の政治や行政システム、法制度を理解するのは難しく、また言語の障壁があればなおさら、自国を拠点に他国の公共政策上の問題を扱うのは現実的ではない。

アマゾンの場合でも私が２００８年に入社する前は日本法人に公共政策を担当する社員がいなかったので、当時ワシントンＤＣにいる公共政策担当のバイスプレジデントが日本の問題も担当していた。正確に言えば、日本のある弁護士に公共政策のモニタリングを行ってもらい、問題があればその弁護士に代理人として活動してもらったり、重要な案件の場合には、わざわざワシントンＤＣから東京に来て通訳を介して関係省庁と協議したりしていた。

しかし、企業が抱える公共政策上の問題が多岐にわたり重要になってくると、本国からのリモートで各国でのロビー活動を行うことは難しくなる。従って、それぞれの国の政治や行政システム、法制度に精通している。その国のネイティブスピーカーを採用していくことになる。

今では、アマゾンにはビジネスを行っている各国に公共政策チームが存在しており、まだビジネスを行っていない国を担当する公共政策チームもいる。第1章で述べたが、ビジネスを開始すること自体を制限する法制度がある場合には、まずは公共政策チームが先遣隊としてロビー活動を行うことが必須であるからである。アマゾンの場合、北米や欧州でのビジネスボリュームが大きいので、必然的にワシントンＤＣやブラッセルをはじめとする欧州各地の公共政策チームは、他の国や地域に比べると大きな所帯になっている。米国連邦政府の問題であれば、ワシントンＤＣの公共政策チームが対応するし、欧州委員会の問題であれば、ブラッセルの公共政策チームが対応することが基本形になる。

しかし、各国での課題に対して、当該国にいる公共政策チームがロビー活動をするだけでは効果が限られる場合には、「Think Big」することになる。「Think Big」は、アマゾンのリーダーシップ・プリンシプルの一つであり、その意味は「狭い視野で思考すると、自分が想像する以上の大きな結果を得ることはできません。リーダーは大胆な方針と方向性を示すことによって成果を出します。リーダーはお客様のために従来と異なる新しい視点を持ち、あらゆる可能性を模索します」というものである。

グローバル企業が「Think Big」の原則に照らして思考すると、各国での公共政策上の課題に対して、その国にいる公共政策チームがロビー活動するだけでは効果が限られる場合には、他国の政府を動かして何らかのプレッシャーをかけることで、問題国の公共政策上の課題を解決することができないだろうかという発想をすることになる。ここでは、欧州委員会の提案に対して、日本政府を始めとする主要国に働きかけたケースを取りあげる。

ＥＵの The Goods Package 法案の衝撃

２０１７年12月19日に欧州委員会が、ＥＵ域内で販売される一部の物品（食料、飼料、人および動物用医薬品）を除くすべての製品を対象として、「Proposal for a Regulation on Enforcement and Compliance in the Single Market for Goods」という通称「The Goods Package」と呼ばれる法案を提案した。欧州委員会はGDPR（General Data Protection Regulation：一般データ保護規則）に代表されるように、デジタル分野でSingle Marketを構築するための施策を矢継ぎ早に打ち出していることで知られるが、EU域内の消費者の安全性のために製品安全の分野でも意欲的な提案を出している。このThe Goods Package法案も、現存するEUの製品コンプライアンス関連法の執行を強化することを通じて、消費者の安全性を高めることを目的としていた。

アマゾンがこの法案で最も問題視していたのは、同法案の第4条で、EU域内で製品を販売する場合には、EU域外の製造業者がEU域内にいる者をコンプライアンス情報に責任を持つ者としてあらかじめ任命することが求められている点であった。

欧州委員会の意図としては、EU域外の製造業者であっても、EU域内にコンプライアンス情報に責任を持つ者を任命させておかないと、例えば製品事故などが発生した場合に、事故原因の究明や再発防止に必要な法的な執行が難しいという背景事情があった。一方で、欧州に製品を販売している大手の製造業者であれば、現地法人を構えていたり、代理店を構えていたりするので何らの問題もないが、現地に何の足掛かりもないような中小の製造業者にとっては、EU域内の他企業が提供する代理人サービスを有償で利用することで、この法案第4条の義務を果たさなければならなくなり、大きな負担になることは目に見えていた。

また、この第4条の規定は、EU域内の消費者や企業にとっても問題であった。例えば、EU域内の消費者は、コンプライアンス情報に責任を持つ者を任命していないEU域外の製造業者による製品を購入できなくなってしまう。例えば、EU域内に駐在している日本企業の社員が、自分の子供のために日本から学習参考書を取り寄せようとしても、その参考書を出している日本の出版社がコンプライアンス情報に責任を持つ者を任命していない場合には、取り寄せることができなくなってしまう。

このThe Goods Package法案は、現存するEUの製品コンプライアンス関連法の執行強化をする法案なので、何らかのコンプライアンス関連法に関係する製品であればすべて対象になってしまう。学習参考書などは現存するコンプライアンス関連法とは無関係のように思われるかもしれないが、書籍に使用されているインクはEUのREACHと呼ばれる化学物質規制の対象になっているので、学習参考書にもこの法案の適用が及ぶことになる。

他の例で言えば、メジャーリーグで活躍している日本人選手の日本製のユニフォームをEU域内のファンが日本から取り寄せようとして、このユニフォームメーカーがコンプライアンス情報に責任を持つ者を任命していない場合には、不可能になってしまう。ユニフォームは、ＥＵの繊維製品ラベル規制の対象なので、The Goods Package 法案の対象なのである。また、ＥＵ域内の企業にとっては欠かせない日本製の材料や部品であっても、それらの材料や部品を製造している日本企業から見れば、ＥＵ市場がさほど重要ではない場合には、コンプライアンス情報に責任を持つ者を任命しない恐れがあり、その場合にはＥＵ域内の企業は困ってしまうことになる。

このように The Goods Package 法案は、ＥＵ域外のすべての中小企業に大きなリスクをもたらしかねない法案であった。アマゾンにとっては、ＥＵ向けのアマゾンのサイト上に出品しているＥＵ域外の中小企業が販売停止に追い込まれる可能性もあったが、それ以上にこの問題はアマゾンの利害を超えてＥＵと取引のある多くの中小企業に影響が及ぶ話であった。これまでアマゾンのブラッセルの公共政策チームが自力でロビー活動を行ってきたが、なかなか芳しい結果になりそうになかったので、２０１８年10月に入って、シアトルの本社やブラッセルの公共政策チームから、何とか日本政府から欧州委員会に法案の内容を見直すように働きかけられないかという相談があった。日本政府からすれば、日本の中小企業に大きな影響が及ぶのであれば、外交チャネルで欧州委員会に申し入れをしてもおかしくないだろうという読みであった。

ブラッセル駐在のエース級官僚たち

さて、このような日本の中小企業の貿易活動に広く影響がある問題の場合、外務省や経済産業省の通商政策局や中小企業庁に相談したところで、反応が悪く動きがにぶい。それは仕方のないことで、日本の中小企業の経営者の方々が、ＥＵのこのような法案の動きに気づかれているはずはなく、そうであれば官庁に陳情がされていないので、役所の方々も気づきづらいのである。

そこで、まずは、ブラッセルにいる日本政府関係者が欧州委員会の動きを日頃追いかけているので、The Goods Package 法案についてどう見ているのかを探ろうと考えた。その上で、ブラッセルから東京の各省の本省に働きかけてもらい、外交ルートに乗せられないかと企図した。

まずは、日本機械輸出組合のブラッセル事務所と在欧日系ビジネス協議会に連絡をとった。両事務所ともキーパーソンは経済産業省からエース級の人材が送り込まれている。さすがに両事務所ともこの法案の問題点についてはよく理解していた。しかし、会員企業は日本の大手企業が中心なので、The Goods Package 法案で義務付けられるコンプライアンス情報に責任を持つ者の任命義務については特に負担に感じてはいなかった。そこで、ブラッセルにある欧州連合日本政府代表部の書記官を紹介してもらった。外交ルートで欧州委員会に接触するのは、日本政府代表部となる。代表部の書記官は優秀で、すでに The Goods Package 法案の問題点も理解しており、米国政府が欧州委員会に本件について働きかけられていたことも知っていた。ブラッセルのような外交の地では、同盟国の書記官どうしは日々情報交換しているのである。

アマゾン社内では、ブラッセルの公共政策チームは、ワシントンDCの公共政策チームにも応援を頼んでおり、商務省やUSTR（アメリカ合衆国通商代表部）に外交ルートで欧州委員会にプレッシャーをかけるように動いていたので、私自身も米国政府が日本より先にアクションをとっていたことは承知していた。また、カナダ政府も米国政府と同様のアクションをとっていた。

米国、カナダと連携

さて、ブラッセルの日本政府関係者が、The Goods Package 法案のことを知っていて、米国政府とも連携がとれる体制にあることは分かったので、残るは外務省本省からブラッセルの日本政府代表部に、アクションを取るように公電を打ってもらうことが必要であった。日本政府代表部が正式に他の国や地域に外交的なアクションをとるためには、外務省本省からの公式の指示が必要になる。アマゾンのような一外資系企業が外務省に公電を出してもらうことを依頼しても体よく断られるのは目に見えている。ここは外務省に強い国会議員から外務省に働きかけてもらうことが必要であった。

11月に入り、ちょうど国会では日EU経済連携協定（EPA）の承認が予定されており、この問題を質疑で取り上げてもらうにはちょうどよいタイミングであった。衆議院外務委員会、参議院外交防衛委員会で本協定の質疑に立つ予定の国会議員を与野党問わず調べ、The Goods Package 法案の問題点に共感してもらえそうな複数の国会議員に詳細を説明してまわった。早速、ある国会議員は、外務省職員に議員会館に来てもらい、ブラッセルの日本政府代表部に送る公電の内容について細かく指示をだした。また、別の国会議員は国会の場で本件についての質問をし、外務省の幹部から欧州委員会の担当部局に対して我が国企業の懸念を伝達するという前向きな答弁を引き出した。

その後、ブラッセルの日本政府代表部は、米国政府およびカナダ政府の代表部と連携をとり、3か国連名で欧州委員会に対してレターを出すことになる。その内容は、The Goods Package法案の第4条が3か国とEUとの間の貿易に支障を来すとして、懸念を伝える内容であったと聞いている。欧州委員会提案の法案は、欧州委員会、欧州理事会および欧州議会の3者間で行われるトリローグと呼ばれる非公式な協議を経て、合意が得られれば、欧州理事会および欧州議会の公式な承認手続きを経て施行されることになっている。従って、その後も、ブラッセルの日本政府代表部は、欧州理事会の議長国（当時はルーマニア）や大きな影響力を持つ一部加盟国に対して働きかけ、大使レベルで交渉も行ったと聞いている。

日米加3か国の働きかけも奏功し、結果的には、2019年2月15日に実質的な合意がなされ、第4条のコンプライアンス情報に責任を持つ者の任命に関しては、その対象をCEマーク商品（玩具や電気製品）に限定することになった。日本政府の関係者の行動により、日本の中小企業への影響が相当程度回避されたのである。

（6）内資系企業との連携——取引DPF消費者保護法のケース

２０１９年11月、消費者庁の消費者制度課長から相談があるのでお越し願いたいとの連絡を受けた。当時は、デジタル・プラットフォーマー取引透明化法案に関する首相官邸でのデジタル市場競争会議のヒアリング会合を控えていた時期である。話を伺ってみると、消費者契約法の見直しを検討する検討会と、ＤＰＦ企業が介在する消費者取引における環境整備等に関する検討会を立ち上げるので、インターネット業界から誰か委員を出してほしいというものであった。

私が同課長から相談を受けたのは、これまでもアジアインターネット日本連盟という業界団体の会員社として、しばしば消費者庁と接点をもっていたからであった。このＤＰＦが介在する消費者取引については、消費者委員会に設置されていたオンラインプラットフォームにおける取引の在り方に関する専門調査会において検討され、同年４月に報告書がまとめられていた。ただ、同報告書は、ＤＰＦが介在する消費者トラブルやＤＰＦ事業者による自主的取組の整理や海外動向の掌握が中心で、提言らしきものはあったが、「本提言においては、プラットフォーム事業者等の役割や取組について、直ちに法律による制度整備を求めているものではない」と明記されていた。

その後、同年６月に政府が取りまとめた成長戦略フォローアップでは、「デジタル・プラットフォーム企業と消費者との関係の透明性及び公正性を確保する観点から、消費者保護関係法令の適用の考え方の整理や利用規約の透明性・公正性の確保、海外事業者への域外適用その他の消費者保護に関する規律の在り方について、2019年度中に検討を開始し、その結果を踏まえ必要な措置を講じる」とのみ記述されていたので、何らかの形で消費者委員会専門調査会のフォローアップが行われるのであろうが、法律による対応が行われるということまでは想定していなかった。消費者制度課長の説明では、新たに設置する検討会では、法律による対応を行うことを前提とするものではないが、消費者委員会の専門調査会よりも委員の役職も上げて構成したい。座長は、デジタル市場競争会議ワーキンググループの座長と同じ京都大学の教授に依頼する予定であるということであった。

話を聞いていると、消費者庁長官がこのテーマで新法提出に前向きだというニュアンスも感じ取れたので、これは大きな話になるなと直感した。DPF問題は政治的に目立つ課題なので、取引透明化法に1周遅れはしたものの、首相官邸との関係で、消費者庁長官が法案を提出したいという動機は十分に理解できた。

私は、法案の提出自体を何が何でも阻止するような考えはもってはいないが、相手が消費者庁なので行く末を心配した。というのは、消費者庁からの政策提案は、個別の消費者トラブルをクローズアップし、それらを防止するために経済取引全体に対して一律に具体的なルールを課すような内容になることが多い。往々にして、事業者側の対応が非現実的なものになる提案であったり、大多数の健全な経済取引への負の副作用が大きすぎる提案であったりすることが多い。消費者庁との間で議論が白熱するであろうと想像した。「デジタル・プラットフォーム企業が介在する消費者取引における環境整備等に関する検討会」は翌12月から開始された。アジアインターネット日本連盟内で、誰が検討会委員になるか相談したが、特に立候補する人はいなかったので、私が引き受けることにした。同時期に開催されることになった消費者契約に関する検討会への参加についても立候補者が出なかった。個社として優先順位の高くない政策課題であれば、他社に任せて後ろからモニタリングしているほうが楽なのであるが、二つとも引き受けることにした。

業界団体の代表として政府の検討会などに参加する場合には、個社の利害で発言内容を決めることができないし、都度、他の会員社にも相談しないといけないので非常に面倒ではある。が、団体内でのルールさえ守れば、個社の関心事項を団体の意見として昇華、発信することができるので、その点ではメリットがある。特に、「デジタル・プラットフォーム企業が介在する消費者取引における環境整備等に関する検討会」については、新法を念頭においた議論になるであろうと読んでいたので、委員に就任し、自ら交渉役、調整役を買って出たほうがよいだろうと考えた。

俎上に載せられた消費者トラブル

検討会では、主として物品販売系のBtoC（企業と消費者間取引）とCtoC（個人間取引）のサービスを対象に、後述するＰＩＯ－ＮＥＴから取り出した消費者トラブルが紹介され、現行法では消費者取引の当事者ではないＤＰＦ企業の責任を問えない場合があるので、ＤＰＦ企業に取引の場の提供者としての役割をもっと積極的に果たしてもらうべきではないか、という問題が提起された。

また、ＤＰＦでは、誰も読む気がしないような利用規約はあるものの、消費者が気づかないうちにその属性・行動に応じたターゲティング広告がなされたり、場合によってはパーソナライズド・プライシングという価格差別・区別がされたりするので、ＤＰＦ企業から、消費者に対して積極的に消費者取引に関連する情報を提供すべきではないかという問題も提起された。ＰＩＯ－ＮＥＴとは、全国消費生活情報ネットワークシステムのことで、国民生活センターと全国の消費生活センターを結び、消費者からの苦情相談情報の収集を行っているシステムである。消費者庁系の政策論議では頻繁に出てくるものであり、非常に貴重な情報源ではあるものの、議論されている政策課題にふさわしい形で情報分析ができなかったりする面もあるので、一定の限界がある。今回も、PIO－NETからの情報では、DPFであるが故に消費者トラブルが発生しているのかどうかは、明確ではなかった。

検討会では、消費者側、事業者側、その他有識者からヒアリングを行い、個別の論点毎に意見交換を行っていった。特に、出品者（売主）の本人確認・情報提供、違法な製品や事故のおそれのある商品の流通への対応、不当表示や不正レビューなどの消費者を誤認させる表示の是正、消費者取引の当事者ではないDPFにおける苦情処理対応・紛争解決のあり方などに多くの時間が費やされた。ターゲティング広告やパーソナライズド・プライシングについても議論はされたが、主として他省庁で検討が進んでいたり、将来的な課題であったりして、すぐに何らかの結論を出そうという雰囲気ではなかった。

特に、違法な製品や事故のおそれのある商品の流通への対応に関しては、消費者庁から、大手DPF事業者が提供するショッピングモールサイトで販売していた13通信販売事業者の違反行為について、詳細に報告がされた。この事案は、アマゾンのサイトで出品していた中国の出品者が、出品登録時に偽造された本人確認書類を使用し、出品登録後に勝手に住所・

氏名を書き換えた上で偽造品を販売していたもので、20年4月7日に消費者庁が当該出品者に対して業務停止命令等を行っていたものである。

検討会の場では、私はアマゾンジャパンの社員ではなく、業界団体の立場で出席していたので、直接この事案に関して発言することは控えていた。アマゾン自体が行政処分された訳ではないが、その後、この事案は、DPF事業者による出品者の本人確認の対応やサイト上の出品者情報の管理の対応が求められる好例として、検討会のみならず消費者庁による与党議員への説明にも「アマゾンのケース」として用いられることになる。

トラブル対策が生み出す副作用

この事案に象徴されるように、一般的に消費者庁における政策課題を検討する場では、発生件数は多くはないが一部の顕在化した消費者トラブルが題材となって検討されることがよくある。当初の予想どおりの展開だった。発生件数が多くないから取り上げるべきではないと言うつもりは毛頭なく、どんな消費者トラブルも発生しないにこしたことはない。だが、分かりやすい個別具体的な事案を前に議論をすると、その特定の事案の再発防止のためにどのような対策が求められるのかというベクトルでの議論になり、その対策がもたらす副作用についてはあまり念頭に置かれないままに議論されることが往々にしてある。

副作用というのは、その特定の事案以外の大半の事案、つまり消費者トラブルなどが生じていないような経済取引に対しても、その対策が一律に適用されることになり、消費者に非常に面倒な手続きを課したり、事業者側に非現実的な対応を求めたりすることになる点を指している。広く認知されているようなDPFを運営する事業者であれば、その会社のレピュテーション（評判）上やお客様からの信頼の確保という点で、消費者トラブルを放置していることはあり得ない。その意味では、消費者庁や消費者団体の方々とめざしている方向は同じであるので、期待されるゴールやパフォーマンスを関係者間で合意するのは良いとしても、どのような対策をとれば消費者トラブルが減らせるのかという具体的なやり方や手法については、事業者側の創意工夫に任せてほしいと思っているし、任せたほうが良いと思っている。

例えば、出品者（売主）の本人確認をどのような公的発行書類を使って行うかや、携帯電話のショートメッセージ認証を使うかどうかなどの具体的な対策は、国が画一的な決め方をすべきではない。DPF事業者は、本人確認を行う場合に、異なるリスクに応じて（例えば、国内の出品者の場合と海外の出品者でリスクの差を設ける、模倣品の出品が見られるファッションカテゴリーの出品者とその他のカテゴリーの出品者でリスクの差を設けるなど）、各々異なる本人確認のプロセスを設けることもある。現実に起きるリスクとその対策は、ＤＰＦ事業者でないと分からない。

　また、違法な製品や事故のおそれのある商品の流通への対応や不当表示への対応に関しては、よくある問題提起としては、ＤＰＦ事業者がきちんと商品が法令上適切なものであるのか、商品説明として記載されている内容が妥当なものなのか把握すべきであると指摘される。ＤＰＦ事業者もそれが対応可能なものであればそうしたいのは山々であるが、実際には非現実的な問題提起に映る。というのは、ＤＰＦ事業者は、出品者（売主）に法令を遵守するように表明保証はしてもらっているが、ＤＰＦ事業者自らが商品を仕入れている訳ではないので、例えば、電気製品として必要な安全基準を満たしているのか、無線設備として必要な技術適合基準を満たしているのか、という点は現物を取り寄せないと確認のしようがない。仮に、現物確認もし、出品者（売主）から法令上の基準を満たしていることを示す必要な書類を入手したとしても、基準適合マークや書類自体を偽造されていてはどうしようもない。不当表示に関しても、医薬品や健康食品などは法令上の表示の不当性の判断がそもそも難しいことに加え、ＤＰＦ事業者は販売者ではないので、その商品についての知識が乏しく、商品情報として記載されている内容の妥当性を判定するのが難しいという事情がある。

法案提出に意気込む消費者庁を横目に見ながら

検討会ではＤＰＦ事業者に対する注文が各委員から次々に提起された。それ自体は健全なことなので良い。だが、私は政府がＤＰＦとともに協力して取り組むべき課題もあるのではないかと申し上げた。例えば、ＤＰＦ事業者が税関と協力して疑わしい貨物を輸入しようとしている販売者を特定したり、行政が認知した悪質出品者の情報をＤＰＦ事業者と共有してＤＰＦから排除したり、ＤＰＦ事業者から捜査当局に情報提供することで悪質な出品者の検挙を行ったり、あるいは国境を越えて外国の捜査機関と連携したり、といったことも考えられる。

不正レビューなどは、最近は手口が非常に巧妙化していて、どれが不正なレビューなのか、誰が不正レビューを行っているのか特定するのが極めて難しい。実際に書き込んでいるレビュワーだけでなく、代行業者やコンサル、不正レビューを依頼している出品者に対して法的責任を追及しやすい環境を整備し、徹底的に行政庁が摘発し罪に問うことで、社会的に抑止していく必要があろう。

このような新たな取組はＤＰＦ事業者だけが努力しても実現できないことなので、検討会の場で政府が関わる課題についても取り上げるべきであると申し上げた。2019年12月にスタートした検討会も7回の検討を重ね、2020年7月に入り開催された会合において報告書骨子・検討の方向性（案）という箇条書きで記された資料が用意された。これまでの主張が一定程度反映されている内容になってはいるが、「デジタル・プラットフォームでの紛争を予防・解決するため一定のルールを整備・明確化」となっており、消費者庁の新法制定への意気込みが感じられた。

DPF事業者を担当する経済産業省の担当局長や課長にも相談したところ、首相官邸との関係でも、消費者庁長官の法案提出の意気込みは本気であろうこと、DPFを健全に運営している事業者の足かせとなる法案になることを避けたいのであれば、業界が汗をかいているという姿勢を見せる必要があるであろうという助言を受けた。

また、検討会の事務局である消費者庁が、経済財政運営と改革の基本方針2020（いわゆる骨太方針）に新法制定についての文言を入れ込もうとしており、そのための根回しとして、先のアマゾンサイト上で販売していた悪質な13の通信販売業者の事例をも使用しながら、自民党の消費者問題調査会の主要幹部に根回ししているという情報にも接していた。消費者庁から情報提供があったのかどうかは確認できていないが、NHKの番組「クローズアップ現代」においても、アマゾンサイト上の問題が詳細に取材されて、取り上げられていた。

メルカリ、ヤフー、楽天と手を組む

一方、検討会のほうでは、報告書骨子・検討の方向性（案）が文章化され、論点整理（案）という形で配布され、「年内を目途に、ルール・環境整備として更に詳細な枠組みについて検討する必要がある」と記載されていた。早速、アジアインターネット日本連盟だけでなくその他の関係団体との連名で、ＤＰＦ事業者による自主的取組を促進するという観点から慎重に検討すべき問題である旨、経済財政諮問会議の長たる内閣総理大臣、担当大臣である経済再生担当大臣、そして消費者担当大臣に要望書を提出した。並行して、消費者庁の担当課長にも直接感触を探りに行ったが、新法制定に向けての消費者庁長官の意思は固いようで、むしろ業界の自主的な取組と歩調のあるような法律にすることで、事実上、副作用の少ない法律案になるようにもっていったほうが良いと確信した。

加えて、消費者庁がアマゾンの事例を引き合いに出しながら、自民党議員に新法の必要性を説いて回っていた。私はアマゾンの事例に関しては、本人確認のさらなる強化に取り組んでいるという事実を関係議員に説明して回ったが、新法に関する今後の対国会議員のロビー活動については内資系企業に前面に出てもらって活動したほうが良いと思った。この問題に関しては、私はアマゾンジャパンの社員としてではなく、アジアインターネット日本連盟の名の下に検討会の場で発言したり、自民党の関係議員に面会したりしていたが、所詮アマゾンの社員であり、いわば「面が割れて」いる。私が自らロビー活動をしてどんな話をしたところで、アマゾンサイト上の問題が耳に入っている国会議員からすれば、言い訳じみて聞こえるだけである。私だけがロビー活動するのではなく、日本のユニコーン企業にも声を上げてもらったほうが対国会議員対策上は効果的と考えた。

早速、業界が汗をかいている姿勢を見せるために、本件でよく連絡を取り合っていた内資系企業に声をかけ、新たな業界団体を設置することを提案した。これにより、消費者庁や検討会の委員に対してオンラインマーケットプレイス事業者が自主的に取り組んでいるという明確な姿勢を打ち出そうと考えた。DPFの中でもオンラインマーケットプレイスに特化したのは、検討会での多くの議論がそこを念頭に置いたものだったからである。主要な内資系企業3社と団体設立について相談を行い、話がまとまるかどうか不安な局面はあったものの、最終的には同じテーブルにつくことで話がまとまった。早速関係者で相談し、この業界団体は各オンラインマーケットプレイス企業の自主的取組について情報交換することで相互に学びあい、また、消費者が安全・安心の見地から適切なオンラインマーケットプレイスを選択できる材料として各企業の自主的な取組を積極的に外部に提供していくことを目的にすべきとした。

株式会社メルカリ、ヤフー株式会社（当時）、楽天株式会社に加えてアマゾンジャパン合同会社が設立時の会員となる形で、８月24日にオンラインマーケットプレイス協議会（ＪＯＭＣ：Japan Online Marketplaces Consortium）を設立することができた。事務局は一般社団法人ＥＣネットワークが引き受けてくれた。

今回の事の発端の一つとして、アマゾンサイトにおける13通信販売事業者問題があったにもかかわらず、新団体設立を言い出した私の提案に同業他社の方々が賛同してくれたことには感謝をしている。場合によっては、内資系企業連合を組まれても仕方のないような状況であった。インターネットビジネスを行っている企業は、他の伝統的な製造業や許認可業種と異なり、政策のアジェンダによって是々非々で連携したりしなかったりということが頻繁に起きているが、必要なときにスピード感をもって他社と相談できるかどうかは、人と人との信頼の度合いに左右される面が大きいと感じている。

「Earn Trust」と「Learn and Be Curious」

アマゾンのリーダーシップ・プリンシプルに「Earn Trust」という原則があり、その意味は「リーダーは注意深く耳を傾け、率直に話し、誰にでも敬意をもって接します。たとえ気まずい思いをすることがあっても間違いは素直に認めます。リーダーは自分やチームの体臭を香水と勘違いすることはありません。リーダーは常に自らを、そしてチームを最高水準のものと比較し、高みを目指します」とされている。

内資、外資に限らず、ロビイングを行う上で、同業他社といつでもスピード感をもって腹を割って話をすることができるかどうかは、この原則に従った行動を社内だけでなく、同業他社に対しても常日頃行っているのかどうかにかかっていると思う。

また、今回のような局面で、同業他社に声をかけて新たな団体づくりを模索するという発想が生まれるためには、伝統的なロビー手法に限らず、新たな方策の可能性を追求する姿勢が必要不可欠である。リーダーシップ・プリンシプルの「Learn and Be Curious」（その意味は「リーダーは学ぶことに貪欲で、常に自分自身の向上を目指し続けます。新たな可能性に好奇心を持ち、探求します」）の原則に相通じるものを感じる。

「日本のユニコーン企業をつぶす気ですか？」

さて、オンラインマーケットプレイス協議会が設立された同じ8月24日に開催された検討会の場で、同協議会の設立を説明したところ、各委員とも協議会の会員社である4社が率先垂範して消費者の安全・安心な取引環境を構築するという姿勢を評価してくれた。その後、検討会の運営については、消費者庁の担当課長の人事異動もあり小休止状態となっていた。

一方で、消費者庁の与党議員への働きかけは精力的で、11月に入って自民党消費者問題調査会と公明党消費者問題対策本部による関係団体へのヒアリングが行われた。私もアジアインターネット日本連盟として意見表明の機会を得たので、検討会の場で述べていた意見をあらためて申し上げた。

ここで気になっていたのは、政府の検討会でまだ結論が出ていないにもかかわらず、先に与党から何らかの方針が示され、検討会がその方針に追随する可能性があることであった。自分が消費者庁長官であればきっとそのような絵を描くだろうと思った。実際、検討会は8月24日以来開催されておらず休眠状態であった。それにもかかわらず、12月9日に開催された自民党消費者問題調査会では、消費者庁は「取引デジタルプラットフォーム（DPF）における消費者保護のための新法等について（骨子）」という資料を配布して、関係議員に説明を行っていた。明らかに検討会での議論を先取りする行為であった。一方で、その骨子によれば、これまで議論の中心であった物販のオンラインマーケットプレイスから取引全般に広がった面はあるものの、取引DPF提供者が講ずべき措置や危険商品が出品された場合の商品等の出品の停止など、新法の内容は、ほぼ大手オンラインマーケットプレイス企業が対応済みのものであったので安堵した。これまで検討会で何度も繰り返してきた主張も汲み取った上で、消費者庁が法案としてまとめようとしたのだと理解した。

また、日本より厳しい規律内容のデジタルサービス法案の検討が欧州で行われている中で、議論を先延ばしするのではなく、この時点で消費者庁の法案内容で握れるのであれば悪くないと考えた。

唯一問題であったのは、売主情報の開示請求権についてCtoCもその対象になっていた点であった。アマゾンにとってはCtoCビジネスは主たる事業ではないが、フリマアプリビジネスを手がけているアジアインターネット日本連盟の会員企業にとってはクリティカルな問題であった。なぜならば、売主情報の安易な開示は脅迫などの別の問題にも発展しかねず、フリマアプリの拡大に寄与してきた匿名配送などの仕組みが崩壊する危険性があった。このCtoCの取り扱いを中心に、内資系企業に精力的に関係の国会議員へ働きかけるように依頼した。先に述べたように、私が言い訳じみたロビー活動をするよりも、内資系企業から日本のユニコーン企業をつぶす気ですかと言ってもらったほうが効果的だからである。国会議員への働きかけは内資系企業に任せることにして、私は、アマゾンのビジネスとは直接関係なかったが、４か月ぶりに開催された検討会において、売主の特定に資する情報の開示請求権におけるCtoC取引の取り扱いについて最もボリュームと時間を割いて意見提出を行った。

検討会の場での意見表明と与党議員への働きかけが奏功して、翌２０２１年１月に開催された検討会の最終会合では、新規立法の規律の対象は取引透明化法上のＤＰＦのうちのBtoC取引が行われる場に限定されることとなった。CtoC取引の場となるＤＰＦに関してはさらなる検討を行うとして、今後の検討課題とされた。このCtoCの扱いについては、その後、閣議決定された「取引デジタルプラットフォームを利用する消費者の利益の保護に関する法律案」の国会審議においても度々話題となり、消費者の利益の保護の観点から、必要があると認めるときは法改正を含め所要の措置を講じること、という附帯決議が付けられている。同法の施行後3年を目途として見直しが検討される際には、再度検討の俎上に載ることは間違いないだろう。

（7）細部にこだわる
――金融機関のクラウド利用はいかにして始まったか

新技術と旧来の規制の衝突

ここで紹介するのは、これまでの世の中にない新技術や新サービスの市場への投入を実現するために、白紙の状態（スクラッチ）からルール形成を行ったケースである。ドローンや自動運転技術なども同様にスクラッチからルール形成が行われている。

このような場合、どうしても旧態依然とした考え方と大きくぶつかることがままある。特に、安全に関するルールの場合には、日本では非常にきめ細かく技術基準が記載されていることが多く、事故などが起きるたびにその再発防止のための技術基準が追加され、どんどん分厚いルールブックができてしまう。しかし、新技術や新サービスを画一的な技術基準で規律してしまうと、往々にして、技術の進展を阻害することにもなりかねないし、安全対策上他によい技術や手法が見つかったとしても、ルールブックに記載がないので認められないということにもなりかねない。新たな技術やサービスに関するルールの形成においては、政策立案者にその技術やサービスの特長を十分理解してもらい、ルールの形成に当たっても旧来からの発想の転換が必要であることを粘り強く説明しなければならない。

ここでは金融機関におけるクラウドコンピューティングサービスの利用のケースを紹介する。

アマゾンは、アマゾン ウェブ サービス、通称AWSと呼ばれているクラウドコンピューティングサービス（以下、クラウドという）を２００６年から開始している。開始当初は、スタートアップや個人のエンジニアの利用が主流であったが、２０１１年3月に日本国内のデータセンター群である東京リージョンの利用が可能になったことをきっかけに、徐々にAWSを利用する日本の大手企業が増えていった。AWSは世界中のどこのリージョンを利用するかを利用者が選択できるが、日本の大手企業のポリシーやマインドでは、国内のデータセンターを利用するのであれば、ようやくクラウドの利用が許されるという企業が多かったからである。

そうは言っても、まだまだクラウドを利用する大手企業は一部であった。今では、日本政府もメガバンクもAWSを利用しているが、当時は金融分野では、保険会社の代理店管理業務、コールセンター業務、社内帳票管理業務などの情報系システムでの利用が見られるくらいで、勘定系システムの利用はまだなかったし、ネット系銀行など一部の金融機関が試行的に利用しているという感じであった。というのは、クラウド利用に関する国のルールがなかったために、クラウドをどこまで利用してよいのか躊躇する金融機関が多かったからである。

クラウド利用のルール不在

2011年当時は、アマゾンの日本法人には私しか公共政策を担う者はおらず、AWSの事業に携わる社員も数名しかいなかった。当初、私は金融分野のITについての知識は持ち合わせていなかったが、アマゾンに入社する前はヘルスケア分野のITについて経済産業省で担当していた経験があったので、金融分野でのクラウド利用を進めるに当たっては、金融庁の何らかの規制を整備しない限りは無理であろうと直感していた。

いろいろ調べてみると、金融庁は主要銀行、中小・地域金融機関、保険会社などに対してそれぞれ監督指針を出しているものの、クラウド利用に関するルールはないことが分かった。その頃は、特に信用金庫や地方銀行などの半数以上が利用していた共同センターの利用の際のルールを、ようやく金融庁が監督指針の中に盛り込もうとしている段階でしかなかった。共同センターとは、システム投資を効率化するために、勘定系システムなどの重要なシステムを中心に外部委託の一形態として複数の金融機関が共同で委託しているものである。２０１２年７月を目途に金融庁が監督指針に盛り込もうとしていた共同センターについてのルールも、「共同センター等の重要な外部委託先に対して、内部監査部門又はシステム監査人等による監査を実施しているか」という簡素なものであり、どのような監査が要求されているのかは定かではなかった。

これまでの金融庁の監督指針が想定している外部委託とは、金融機関が自社で保有する情報システムの機能の一部を特定の企業に委託し、委託された企業もその金融機関のためにカスタマイズした機能を受任するという関係である。これに対してクラウドは、特定の金融機関にあらかじめカスタマイズされたものではなく、電力や水道のように複数の利用者が汎用的なコンピューティングサービスをリソースとして使い、その上に必要なシステムを自ら構築していくものなので、そもそも外部委託という考え方になじまない。どちらかと言うと利用という形態に近い。

例えば、従来型の外部委託であれば、金融機関がセキュリティ確保のために外部委託先の企業に立ち入りして、システムの強制的な監査を行うということはあり得る。しかしクラウドを運営している事業者が、いくら顧客とはいえ、セキュリティ上の理由から金融機関にクラウド事業者のデータセンターへの立ち入りを認めることはあり得ないし、データセンターの場所すら開示しないのが普通である。したがって、金融庁の監督指針上の外部委託の規定をクラウドに沿った内容に書き換えるか、あるいはクラウドに沿った規定を新たに設けない限り、金融機関が本格的にクラウドを利用することは出来ない。これで公共政策上、解決しないといけない問題がどこにあるかが同定できた。

推進のレールを敷く

問題が特定できたので、次にどう金融庁に働きかけるかを考えた。まず、金融庁自体がどこまで金融機関によるクラウド利用という問題を把握しているのかを知りたかったので、検査局総務課にコンタクトしたところ、すでに検査局では、クラウド・コンピューティングに関するＰＴ（プロジェクトチーム）を庁内に組成し、金融機関におけるクラウドサービス利用の実態把握と、既存の監督・検査のフレームワークとのギャップ分析と、それを踏まえた対応の検討に着手していた。国内の関係者に対するヒアリングを行うだけでなく、海外金融当局の対応についても調査していた。

ちょうど私が検査局に連絡をした２０１１年７月に簡単な実態調査報告が発表された。その報告書は短期間で調査した割にはよくまとまっていたが、クラウドに関する誤解も散見された。また、検査局の担当者と直接話をした際、現時点では、監督指針などで何らかのルールが必要であるとまでは思っておらず、クラウドベンダーと金融機関で話し合って適正に運用してほしいと考えていると言われた点が気になった。というのは、いくらクラウドベンダーが金融機関に相対で説明したところで、規制当局から明示的なルールが示されない限りは、クラウドの利用を躊躇する金融機関がほとんどであったからである。検査局のクラウドに対する一部の誤解については、AWSの社員とともに金融庁に出向いて事実関係を説明した。検査局担当であった審議官は国際経験豊かな聡明な方で、大変有意義な会合となった。一方で、検査局の担当者は、まだ監督指針に手をつけようという様子ではなかったので、どのようなアクションを取ろうかと思案した。

当時の2年ほど前から、クラウドについては、私自身が独立行政法人情報処理推進機構主催のクラウド・コンピューティング社会の基盤に関する研究会や、経済産業省主催のクラウドコンピューティングと日本の競争力に関する研究会の委員を務めるなど、各省庁や学識者の方々からクラウドに関連する施策の在り方について意見照会されるような状況であった。いずれの政策立案者も、このクラウドという新サービスをどうやったら日本で普及させることができるのか（本音では、外資ではなくどうやったら国内クラウドベンダーを育成することができるのか）ということに大きな関心を持っていることは肌身で感じていた。金融機関が安心して利用できるようなルールを整備することは、クラウドを推進しようとしている省庁にとっては飛びつきたくなるような筋の良いテーマであることは分かっていた。

そこで、業界団体を通じて金融機関によるクラウド利用のルール整備の必要性を規制改革という形で行政刷新会議（当時の民主党政権が設置していた内閣府の組織）に訴えてもらい、レールを敷くことが有効であると考えた。

当時は、アマゾンは日本経済団体連合会（経団連）の会員ではなかったので、他の会員社を通じて、「金融機関によるクラウドサービスの活用が可能となるよう、クラウドサービスの実態に応じて、外部委託先の監督規制の見直しを行うべきである」と２０１２年９月に規制改革要望として同連合会から出してもらった。その後の政権交代により、13年1月に規制改革会議が復活し、同会議が設置した規制改革ホットラインに寄せられた日本経済団体連合会からの要望が精査され、同年7月31日に規制改革会議の回答がまとめられた。外部委託先の監督を明確化する問題については、金融庁の検討結果としては、「クラウドサービスについては、比較的新しいサービスであり、金融機関によるクラウドサービス事業者の管理、監督方法が確立されていないものの、外部委託とは異なるクラウドサービス特有のリスクがあり、新しい管理、監督方法が必要であると考えています。クラウドサービスは、現状金融機関の重要業務への適用には至っていませんが、コスト削減や短期間での導入等のメリットがあることから、クラウドサービスの健全な発展を図る観点から、今後のクラウドサービスに係る技術の進展と、金融機関におけるクラウドサービスの利活用の状況をモニタリングしながら、金融情報システムセンターとも連携し、引き続き管理、監督方法の検討を行います」と記されていた。要は「検討」するということなので、ルール整備のレールは敷かれた訳である。

金融機関の安全対策基準を司るＦＩＳＣ

なお、回答文中にある「金融情報システムセンター」というのは、公益財団法人の名称で、業界ではその英語名称（The Center for Financial Industry Information Systems）の頭文字からＦＩＳＣ（フィスク）と呼ばれている機関のことである。なぜＦＩＳＣの名称が出てくるのかと言えば、金融庁が金融機関向けに作成している監督指針のうち、システムリスク、セキュリティ対策やインターネットバンキングに関わる規定には、ＦＩＳＣが作成している金融機関等コンピュータシステムの安全対策基準・解説書というのが複数引用されているからである。つまり、金融機関が守るべき具体的な安全対策基準は金融庁がＦＩＳＣに事実上委ねている訳である。ＦＩＳＣには金融機関などからの出向者が多く在籍しており、ＦＩＳＣが運営する各委員会において、この安全対策基準・解説書（業界では安対基準と呼ばれている）が策定・改定されている。当時は第８版の安対基準が発行されており、高級な百科事典のような装丁であった。

実は、ＦＩＳＣは私個人にとってはなじみのある団体で、私が大学卒業後に配属された通商産業省（当時）の部署で関わりある団体であった。また、運のよいことに、13年当時に私のニューヨーク赴任時代の知人がある金融機関からＦＩＳＣに出向したばかりであったので、連絡を取り合っていた。ＦＩＳＣの幹部は、クラウドサービスの台頭に伴い安対基準を大幅に改定しないといけないという必要性は早くから認識しており、ＡＷＳについても理解を深めたいという意向があったので、同年６月に米国本社へＦＩＳＣ職員が訪問するアレンジを行った。

このＦＩＳＣの件については、同年12月に、当時、日本のＩＴ政策の司令塔であった高度情報通信ネットワーク社会推進戦略本部（いわゆるＩＴ総合戦略本部）がまとめたＩＴ利活用の裾野拡大のための規制制度改革集中アクションプランにも取り上げられた。同プランでは、「平成26年度から開始される財団法人金融情報システムセンターの安全対策基準の検討、改定内容を踏まえ、クラウドサービスの適切なリスク管理、監督のあり方について検討し、必要な措置を実施する」とされた。通常であれば、ここまで検討に向けてのレールが敷かれれば、ロビイングとしての業務は半分終わったも同然なのであるが、本件はここからが本題である。

年が２０１４年になり、さっそくＦＩＳＣから、金融機関におけるクラウド利用に関する有識者検討会を４月から開催するので、私に委員として参加してもらえないかとの打診があった。この検討会は安全対策基準の改定を視野に入れて、金融機関のクラウド利活用に向けた契約管理・リスク管理等のあり方を検討するためのものである。技術的な話題にも及ぶ可能性があったので、技術者ではない私が委員に就任することに躊躇があったが、事前にＡＷＳ社員との間で入念な準備をすることで対応しようと思い、私が委員を引き受けることとした。

というのは、従来の安対基準は、金融機関にしろ外部委託先にしろ、オンプレミスと呼ばれる自社でシステムを保有、運用する形態を念頭に策定されており、クラウド利用を念頭に置いた安対基準の策定はこれまでとは次元の異なる考え方を前提にしなければならず、かなりの交渉が必要であると見込まれたからである。

「Dive Deep」

アマゾンのリーダーシップ・プリンシプルの一つに「Dive Deep」というものがある。その意味は「リーダーは常にすべての階層の業務に気を配り、詳細な点についても把握します。頻繁に現状を検証し、指標と個別の事例が合致していないときには疑問を呈します。リーダーが関わるに値しない業務はありません」というものである。

これはリーダーシップ・プリンシプルの中でも私が最も身に染みて感じているものであった。というのは、アマゾンでは、いわゆる経営陣であるシニアリーダーシップの社員であっても（であればなおさら、と言い換えることもできる）、非常に細部に拘るのである。

このＦＩＳＣによる検討会での議論は、まさに「Dive Deep」な視点が重要となった。検討会の座長は、当時の情報・システム研究機構国立情報学研究所所長で、委員は学識者や弁護士、各金融機関のＩＴ関係部署の責任者、公認会計士に加えて、各クラウドやＩＴソリューションベンダーの役員クラスで構成された。各ベンダーとも事業部門の責任者が出席しており、公共政策部門から出席しているのは私だけであった。金融庁検査局の統括検査官もオブザーバーで参加していた。

実は、ＦＩＳＣでは、２０１１年度を通して、金融機関におけるクラウドコンピューティングの利用動向に関する研究会を開催したり、安対基準の第８版追補という形で、クラウドサービスの利用に当たっては適切なリスク管理を行うことという基準を設けたりするなどの対応を着々と進めていた。ただ、この安対基準（第８版追補）の内容については、金融庁からは、顕在化している問題点や課題に対する当面の暫定的な対応であり、最終形ではないという意見が出されており、クラウドサービスの利用に関する基準のあり方についてはあらためて検討しないといけないという事情もあった。

検討会では、事務局であるＦＩＳＣから配布された論点メモを発射台にして議論することになったが、この論点メモの内容を軌道修正していくのに骨が折れた。

議論になった一点目は、事務局の当初の提案が、金融機関の業務をコアＩＴ領域、セミコアＩＴ領域、ノンコアＩＴ領域なる用語で分類しており、各領域に求められる安全対策基準を細かく規定して、画一的、固定的に解釈して適用しようとされている点であった。

金融機関と一口に言ってもメガバンクから信用金庫など業態や規模も区々であり、どのような重要度のシステムにクラウドを利用するのかによってもリスク管理の方法が異なるので、一律に処方箋のような細かい基準を並べるのは適当ではない。各金融機関がクラウドを適用するシステムの重要度を自ら評価した上でリスク判断を行える余地が十分にあるようなルールを採用すべき、いわゆるリスクベースアプローチを適用すべきであると主張した。

二点目は、データの保管場所の把握や金融機関による立入監査の受入れの問題であった。オンプレミスの旧来型の思考法をとる事務局は、クラウドを利用する場合であっても、データがどこの市町村の何丁目何番地にあるデータセンターのどのサーバーに保管されているのかを把握したり、何か問題があればいつでもデータセンター内の特定の設備の場所まで物理的に出向き視認したりしないと気が済まないという勢いであった。データセンターの現場に金融機関が訪問することは、他の多くのクラウド利用者に対するセキュリティ上の問題も発生するし、クラウドを利用してもよいかどうかの判断においては、現場で視認することで分かるものは限られている。既存の安対基準の中には、コンピュータ室内の設備にネズミの害を防止する措置を講じることと記載があったので、私はこれを引き合いに出し、ネズミ対策のように現場で視認して確認できるメリットと、セキュリティ上の問題が生じるデメリットでは、比較にならないほどデメリットが大きいと述べた。現場に出向くのではなく、むしろ第三者監査のレポートやベンダーが用意するホワイトペーパーで判断すべきであることを何度も説明した。また、事務局は平常時における監査とインシデント発生時の監査も分けずに考えていた。

三点目は、外部委託する以上、すべての責任はクラウドベンダー側が負うべきであるという考えを事務局が持っている点であった。金融機関側で責任を負うべき事項と、クラウドベンダー側で責任を負うべき事項とがごちゃ混ぜになっていた。セキュリティやコンプライアンスに関しては、クラウドベンダーとクラウド利用者との間で責任が共有されること、いわゆる責任共有モデルについて何度も説明することとなった。

最後の点としては、クラウドベンダーが外部のコントラクターと契約するような行為が再委託に相当し、再委託する場合には、すべからく金融機関の事前承認を得なければならないという事務局からの提案であった。クラウドベンダーはクラウドのパフォーマンス向上やセキュリティ強化など、いろいろな理由から常々外部のコントラクターと契約をしているが、それは特定の金融機関のクラウド利用者のために行っているものではなく、提供しているクラウドサービス全体のために行っているものであることから、すべからく金融機関の事前承認を得るというのはまったくナンセンスであった。事務局の提案は、極端な話をすれば、データセンター内の清掃作業を依頼しているコントラクターと契約する場合にも、すべての金融機関の事前承認を必要とすると言わんばかりのものであった。

6回にわたり開催された検討会では、事務局の提案に対しては他の委員が沈黙する中でかなりの時間をつかって私が細部までコメントをし続けるという場面がかなりあったので、座長も相当辟易とされていたかもしれない。私ばかり何度もコメントし時間を費やして申し訳ないと思いながらも、いずれも重要な論点であったので11月に報告書がまとまるまで意見を申し上げ続けた。

技術者のサポートを受けながら

長時間にわたる議論の結果、報告書では、大前提としてリスクベースアプローチを採用すること、システムの可用性とデータの機密性などの切り口を基に、厳格なリスク管理の実施が求められる場合と簡易なリスク管理でもよい場合とを区別し、金融機関の経営判断のもとに適切なリスク管理策を策定することが重要であるとされた。コアＩＴ領域、セミコアＩＴ領域、ノンコアＩＴ領域の区分についても、画一的なものではなく、システムの重要度評価やリスク管理の判断をする際の参考として位置づけられた。

データの所在に関しては、そもそも簡易なリスク管理を行う場合には、データ所在に関する情報はさほど重要ではないと評価された。簡易なリスク管理以外の場合でも、平常時には、クラウドサービスに適用される法令が特定できる範囲で所在地域（国、州等）を把握すればよいとされた。

クラウドベンダーに対する監査については、簡易なリスク管理手法をとる場合には、金融機関による立入監査の代わりに第三者監査のレポートの活用が考えられるとされた。また、簡易でないリスク管理を行う場合でも、金融機関が直接立入監査を実施するのではなく、スキルのある外部の第三者による検証により代替することが可能とされた。また、第三者監査が行われない、または依拠できないと判断される場合に限定して立入監査を行うということを金融機関とクラウドベンダーの間で書面化すれば、立入監査の権利行使が限定できることとされた。なお、当然のことであるが、金融監督当局から検査の実施要求があった場合には、クラウドベンダーはこれを受け入れることが法律上求められるとされた。

金融機関とクラウドベンダーの責任関係については、きちんと契約の一般条項の中に、互いの責任範囲について盛り込むべきとされた。再委託先の管理については、クラウド事業者による再委託先の審査・管理プロセスが金融機関によるそれよりも実効的とみなされる場合には、クラウド事業者側での事前審査が最善策となり得るとされた。勘定系システムなどの特に重要な業務を再委託する場合には、金融機関が自ら事前審査することが必要であるとの注意書きがあるが、実際にはそのような再委託は想定されないだろう。

この検討会は技術的な論点も多く、また非常に細部に気を遣う会議であったことから大変疲れたが、社内の技術者からのサポートもあって、何とか良い報告書にまとめることができた。その後、FISCでは、この検討会報告書をほぼ忠実に反映させる形で、安全対策専門委員会と同委員会の下部組織である安全対策基準改訂に関する検討部会において、安対基準の改訂作業が行われた。

最終的には、2015年6月に金融機関等コンピュータシステムの安全対策基準・解説書（第8版追補改訂）という形で発刊された。ちなみに、AWSでは、「金融機関向けAWS FISC安全対策基準対応リファレンス」という形で、金融機関がFISCの安対基準に沿った形でAWSを利用できることを示した参考情報を提供している。公共政策面での細部にわたる以上のような活動により、今日のようにメガバンクをはじめとする多くの金融機関においてクラウド利用が広まったのである。

（8）熟考の末、動かず――電子書籍に対応した出版権のケース

アマゾンが作家と直接つながる「中抜き」サービス開始？

当時は大騒ぎされていたトピックであったが、今となってはもう覚えている人は少ないかもしれない。いわばテックラッシュの走りの騒動だったのであるが、私は今振り返ってもメディアや一部政治家が騒いだ意義があったのだろうかと疑問でならない。外国の巨大なテック企業の参入が起きると、メディアや政治家が大騒ぎして、法制度の整備やら巨費を投じた技術実証的な開発やらが行われることは過去にもあまた例がある。電子出版を巡る騒動もそのような側面をもった話題であった。

10年以上も前の話になるが、グーグル・ブックスに対する訴訟や国立国会図書館のデジタル化に対する１２７億円もの補正予算といった話題が耳目を集め、デジタル時代における図書館の在り方や権利者不明作品など出版物の権利処理の円滑化に関する議論が起こり始めていた。

そのような中で、２００７年11月にアマゾンが米国で最初のキンドル端末を販売すると同

時に、キンドル・ダイレクト・パブリッシングというサービスを開始したことが別の話題を呼んでいた。キンドル・ダイレクト・パブリッシングとは、作家や漫画家などのクリエーターが、アマゾンの電子書籍サイトに直接作品を並べて販売できるセルフ出版のサービスである。一部のメディアや評論家は、このサービスの革新性を強調すると同時に、アマゾンが出版社を通さずに直接作家とつながる「中抜き」のサービスを開始した、と煽り始めた。このアマゾンの新しいサービスが、電子出版時代に出版社はどういう役割を果たすべきかという論議にたびたび引用されるようになっていた。

具体的には、後述するが、出版者への権利付与という論点につながっていく。当時、政府部内では、09年11月に経済産業省が民間シンクタンクに委託する形で「出版市場のデジタル化に係る検討委員会」を開催し、内外の電子出版のビジネスの実態把握が行われており、私も同検討委員会のオブザーバーとして参加していた。当時は民主党が与党であった時代。官僚ではなく、大臣、副大臣、政務官という政務3役が政策を取り仕切ると厳に徹底されていた時代である。この電子出版を巡る問題も例外ではなく、政治主導で検討の場が設けられた。それが、10年3月に総務省、文部科学省、経済産業省の3省で運営・設置されることになった「デジタル・ネットワーク社会における出版物の利活用の推進に関する懇談会」であった。

俗に「３省懇談会」と呼ばれていた。

第１回会合に出席していた副大臣や政務官の挨拶の中に、グローバル企業の取組に対する危機感が滲み出ていた。「デジタル化・ネットワーク化が急速に進展している中で、このまま何もしないでいると世界の潮流の中に取り残されてしまったり、海外からの新しい波にさらわれてしまう可能性がある」「一部の資本力を有する者だけに書籍流通市場の独占を許してしまえば、表現の多様性を毀損することになりかねない。資本力の多寡に関わらず、どんな出版社でもこのデジタル書籍市場に参画することを可能にする環境整備を進めることは、表現の多様性の確保という観点で国の責務であると考えている」と、政治主導であるだけに、やや露骨な表現が使われた。

出版者への権利付与問題

さっそく第１回会合において、設立間もない一般社団法人日本電子書籍出版社協会の代表理事（当時、以下同）が、「出版者のこれまで果たしてきた才能の拡大再生産という役割は、流通媒体が紙から電子に変わっても変わることはないと思う。こうした役割に対して、出版者にも何らかの権利を認めることを考えていただきたい」と出版者の権利について要望している。出版者への権利付与の問題については、この懇談会の下に設置された出版物の利活用の在り方に関するワーキングチームで議論されることになる。

日本電子書籍出版社協会の監事は、著作隣接権の付与を主張していた。出版社側の主張としては、出版者の権利内容を明確にすることにより、出版契約が促進される可能性があること、出版者が物権的請求権である差止請求を行えることでより効果的な違法複製物対策が可能となること、がその理由であった。

これに対して、日本推理作家協会の常任理事は、9割以上の作家は出版者に対して著作隣接権を認めていいとは言わないだろうと主張していた。デジタルマンガ協会の副会長も著作隣接権の付与には否定的な意見を呈していた。そもそも、米国のように、出版者に権利がなくとも、著作者と出版者との間で独占的な許諾契約を結ぶなど、明確な出版契約を結ぶことによって、種々の課題には対応可能であるし、一律に出版者に新たな権利を付与することは、権利関係をさらに複雑にするというのが反対の理由であった。

結局、同年6月28日に取りまとめられた懇談会の報告書では、「デジタル・ネットワーク社会における出版者の機能の維持・発展の観点から、出版者に何らかの権利付与をすることについて、その可否を含め検討。検討にあたっては、出版契約や流通過程に与える影響や各国の動向についての調査・分析の実施や議論の場を設けることなどを通じて、更に検討。こうした取組について国が側面支援」することとなった。要は、議論がまとまらなかったので、結論が先送りされたのである。

この出版者への権利付与の問題については、一部のメディアや評論家は、アマゾンによる「中抜き」との憶測と関連づけて取り上げていたため、あたかもアマゾン対策で出版者に何らかの権利付与をしないといけないと言わんばかりの論調も垣間見られた。

私はただ単に冷静に議論の行く末を眺めていた。と言っても何もなすすべがなく傍観していた訳ではなく、網羅的に細かく情報収集し熟考した上で、何らのロビー活動も積極的に行わなかった。この問題は出版業界の慣行にも精通していないと理解が難しい問題であったため、私は、３省懇談会の座長や一部の構成員、出版業界の団体、出版社を担当する弁護士、出版業界に詳しい識者や出版業界紙の記者など、いろんな方と会い、出版者への権利を巡る各人のポジションや主張の内容を把握していった。

権利の法制化に向けた出版界のロビー活動史

出版者への権利付与の問題には、元来、長い歴史がある。公共政策上の議論をするためには、この歴史をきちんと踏まえておくことが前提である。１８６９（明治２）年の出版条例布告以降、出版人（発行者）が版権の所有者であるのか、判然としない状況が続く中、著作権に関する基本条約であるベルヌ条約に加盟するために１８９９（明治32）年に制定された著作権法では、著作者は複製権、翻訳権、興行権を専有するが、出版者は何等の権利も有しない立場となった。以後、出版業界は、継続して出版者の権利確保のための努力を重ねることとなり、ついに１９３４（昭和９）年に、著作権法が改正され章を設けて設定出版権が設けられた。

設定出版権というのは、複製権等を保有する者（著作権者）が、その著作物について、文書若しくは図画として出版することを引き受ける者（つまり出版者）に対し、出版権を設定することができる、というものである。『日本雑誌協会　日本書籍出版協会　50年史』によれば、その背景には、著作者が契約を無視し、あるいは一片の通告で契約を破棄して、よりよい条件を提示する他の出版者に出版させるという風潮が強まっていたということがあったようだ。その後も出版権の内容を充実させることは、出版業界にとっての大きな問題の一つであった。

昭和40年代後半から、複写機器の発達・普及に伴って、複写についての権利処理機構についての議論が盛んになっていった。複写の権利処理機構としては、著作者の権利と出版者の権利が両輪となって機能するという観点から、1985（昭和60）年に出版者の権利問題を検討するために著作権審議会第8小委員会が設置された。昭和9年に設けられた設定出版権は、あくまでも著作権者からの設定という行為が必要であったため、出版業界は出版者自身が固有の権利を持つことが必要であると主張した。結局、同第8小委員会が取りまとめた報告書では、「出版者は、出版行為により、著作物の伝達上重要な文化的役割を果たしている。出版行為を行う者は、現行著作権法上出版権の設定の制度により既に一定の範囲で保護されているところである。しかし、複写機器の発達・普及という新たな状況を考慮すれば、（略）著作物の伝達上果たしている出版者の重要な役割を評価し、既存の出版権の設定の制度に加えて、出版者に、その出版物の複写を中心とした複製についても一定の権利を認めることが必要であると考える。これは、実演家等について、著作権に準ずる権利を付与して保護することとなったのと同様である」として、「本小委員会の結論として、出版社に固有の権利を著作権法上認めて保護することが必要であるとの意見が大勢を占めた」と結論づけられている。

しかしながら、この報告書の内容では法改正はされていない。『日本雑誌協会　日本書籍出版協会 50年史』によれば、当時の経済団体連合会（経団連）を中心とする産業界に、出版者に著作隣接権を認めることに対する強い反対意見があったことがその理由とされている。

以後、出版業界では、版面に関する出版者協議会を設置し、引き続き出版者の権利の法制化に粘り強いロビー活動が繰り返し行われることになる。その後、内閣に知的財産戦略本部が設けられ、知的財産推進計画の中に「出版物の複製に係る出版社の報酬請求権の是非に関する関係者間の協議の結論を得て、必要に応じ、著作権法の改正案を国会に提出する」との趣旨の内容が２００３年、04年にわたって明記されたが、その後は触れられなくなった。

かいつまんで述べたが、出版者への権利付与の問題は、長年にわたる出版者と著作者との間の見解の相違に加え、著作隣接権に対する経済界の反対もあり、なかなか実現していない問題であったのだ。

それが、米系のテック企業により生み出された新しい電子出版サービスによって、再燃したに過ぎなかった。私は、あたかもアマゾン対策で出版者に何らかの権利付与をしないといけないと言わんばかりの一部の偏った論調は無視し、事態を静観することにした。政府が権利付与の問題を本気で取り上げるときは、政治主導の３省懇談会ではなく、文化庁の著作権審議会の下部組織で行われるはずであった。まだ本格的な議論は先になることが見越されていたし、仮に議論が始まっても当面は出版業界と著作者団体との間でぶつかり合いがあるであろうし、仮に著作隣接権の議論が再燃するようであれば経済界に声を上げてもらえばよいと思っていた。

出版者への権利付与に反対でなかったアマゾン

また、当時の一部のメディアや評論家は、アマゾンは出版者への権利付与に真っ向から反対してくるであろうと勝手に想像していたのかもしれないが、まったくそんなことはなかった。

当時、アマゾンは電子書籍キンドルストアの日本での開設を控え、どこよりも幅広いセレクションで電子書籍をストアに並べる準備をしないといけなかった。そのためには、何よりも日本の出版社との協力関係が大変重要であって、日本の出版社から紙の本の発行と同じタイミングで電子書籍も発行してもらうことが最重要課題であった。

そういう意味では、口頭ではなく、書面にて民事的に著作者と出版社との間での契約をきっちり交わしてもらうことでも事足りてはいたが（出版社とアマゾンの間はもちろん書面で契約する）、日本の出版社が電子書籍を発行するに当たり権利付与を受けたほうが電子出版というビジネスをいち早く成長させることにつながるのであれば、何ら反対するものではなかった。ましてや、紙の本の販売で強固なビジネスパートナーの関係にある出版社に反旗を翻すようなことがあろうはずがなかった。

実際、私が出版業界の関係者と情報交換する際にも、特段警戒されるようなことはなく、お互いに電子出版ビジネスを早く成功させたいという思いで一致していた。ただ、著作隣接権については、著作権の発生により自動発生的に生じるものであり、かつ、権利の主体の所在が多岐にわたることが想定されたので、電子出版物の円滑な利用に支障が出るおそれがあったので賛同できなかった。しかしこの点は、アマゾンが声を上げる必要はないだろうと読んでいた。何か新しい政策が、自社にプラスの影響を与える可能性があると分かっていたとしても、労力とコストをかけてやたらとロビー活動を行うことが得策とは限らない場合がある。

「Frugality」

アマゾンのリーダーシップ・プリンシプルの一つに「Frugality」というものがある。その意味は、「私たちは少ないリソースでより多くのことを実現します。倹約の精神は創意工夫、自立心、発明を育む源になります。スタッフの人数、予算、固定費は多ければよいというものではありません」である。業務が膨れ上がっている現場からの予算や、人員のいたずらな要求を防ぐための原則のようにも見えるが、私はそうは解釈せず、この原則を「戦わずして勝つ」と読み替えていた。

この出版者への権利付与の問題については、アマゾンなどの米系テック企業の電子出版サービスの台頭を材料にして、いかにも出版者への権利付与を議論することが国益を守ることであるかのような一部論調があったが、そういった論調は相手にせず戦わずに実利を得ることができるであろうと判断した。

3省懇談会の報告書を受け、2010年12月に文化庁が「電子書籍の流通と利用の円滑化に関する検討会議」を設置して、3省懇談会報告の中で文化庁に対して出された宿題の検討が行われることになった。出版者への権利付与の問題もその一つである。この検討会議では、諸外国の出版者の権利に係る法制度についての調査や、出版者に対するヒアリングを通じて、事実関係の正確な把握に主眼が置かれた。

検討会議は、11年12月に電子書籍の流通と利用の促進の観点、出版物に係る権利侵害への対応の観点から、大きく次の政策オプションをその報告書で提示している。「出版者への権利付与により対応をする」「現行制度における対応をする」、そして「出版権の規定の改正により対応をする」である。出版権の規定というのは、先に述べた設定出版権のことであるが、当時の著作権法では「文書、図画として出版する」ための出版権の設定であって、電子書籍に係る出版契約に対しては適用されないと解されていたので、このような政策オプションが検討されていた。

私も当時、文化庁著作権課から、設定出版権が電子書籍には適用できないという見解の裏を取っていた。検討会議の報告書では、こう取りまとめられている。「「出版者への権利付与」を含む様々な対応について、出版者等の関係者が中心となり、当該権利付与や他の制度改正が電子書籍市場に与える全般的な影響について検証を行うことが求められる。なお、当該検証の実施に際しては、文化庁等の関係府省が必要に応じた助言を行うなどの支援を行うことが重要である。同時に、「出版者への権利付与」、現行の制度における対応及び他の制度改正に係る法制面における具体的な課題の整理等が必要であると考えられ、この点についてては、新たに専門的な検討を行うための場を設置するなど、文化庁が主体的に取組を実施することが求められる。その上で、電子書籍市場の動向を注視しつつ、国民各層にわたる幅広い立場からの意見も踏まえ、「出版者への権利付与」等の具体的な在り方について、制度的対応を含めて、官民一体となった早急な検討を行うことが適当であると考えられる」。要すれば、検討は別の場へと先送りされることになったのである。

議連側の主張、経団連の反対

出版者への権利付与問題は、正式には、文化庁の文化審議会著作権分科会の下部組織で審議検討されるべき事項であることから、想像どおりの結論になったのである。しかし、議論の場は、文化審議会に速やかに移行するということにはならなかった。せっかく、政治主導の3省懇談会を経て、政治色のない文化庁の検討会議で報告書がまとまったにもかかわらず、また政治による主張が展開されることになるのである。

3省懇談会当時に文部科学副大臣であり、その後文部科学大臣を歴任していた中川正春衆議院議員を座長、文字・活字文化推進機構の理事長を事務局長とする、印刷文化・電子文化の基盤整備に関する勉強会（通称、中川勉強会）が2012年2月に設置される。同勉強会は国会議員、出版関係者、作家、図書館関係者などで構成された。同年6月25日に中間まとめ（案）を公表し、「出版者に対して著作隣接権（略）を速やかに設定することが適当である」として、同権利の具体的内容を提案し、著作権法改正を含めた立法措置が不可欠であるとした。この動きに前後して、超党派の国会議員からなる活字文化議員連盟は、同月20日に「著作隣接権としての『出版物に係る権利』の法制化が必要」との声明を発表している。これらの一連の動きを周知するために、同年7月25日には文字・活字文化推進機構主催、活字文化議員連盟の共催という形で衆議院第二議員会館でシンポジウムが開催されている。

私は、先に述べたように出版者への権利付与についてはまったく否定的ではなかったが、著作権の専門家の議論を抜きに、政治主導で著作隣接権へ流れが加速することは避けたかった。そのため、中川勉強会の中間まとめ（案）が発表される前に、日本経済団体連合会（経団連）の関係者に意見交換を申し入れた。当時は、アマゾンジャパンは経団連の会員にはなっていなかったが、快く面会に応じてくれて、私が収集してきたすべての情報を共有し、著作隣接権の問題点について互いに意見交換した。

以後、2012年内は、著作隣接権という形での出版物に関する権利の是非について、さまざまなイベントにおいて討議が盛んになっていく。経団連は、翌2013年2月に「電子書籍の流通と利用の促進に資する「電子出版権」の新設を求める」という提言を発表することになる。その内容は、「一部出版業界関係者等の主張する「出版者への著作隣接権付与」（略）という案は、第一に守られるべき権利者の意思が最優先されないおそれがあるほか、権利者数の増加による流通阻害効果も予想される等、副作用が大きいと考えられる。経団連では、電子書籍ビジネスの今後の発展に期待する立場から、電子書籍の流通と利用の促進に向け、「出版者への著作隣接権の付与」とは異なる、「電子出版権」（仮称）の新設を提言する」「一部出版業界関係者等が「出版者への著作隣接権付与」の議員立法での成立に向けた働きかけを強めている。同案は、（略）多くの副作用が懸念され（略）、わが国の電子書籍ビジネスの発展に対して阻害要因となるおそれすらあることから、こうした提案を一部関係者によって拙速に進めることは、経団連として賛成しかねる」というもので、予想通り、きっぱりと著作隣接権を推す政治的な動きを否定する大きな牽制球が投げられた。

経団連の言う電子出版権（仮称）とは、著作権者との電子出版権設定契約の締結により発生し、電子書籍を発行する者に対して付与され、複製し自動公衆送信する権利を専有することで、差止請求権を有することを可能とするものとされていた。念を押すように、電子書籍を発行する者とは、紙媒体を出版する既存の出版社（者）とは限らないとまで明記されていた。

文化審議会著作権分科会が出した答え

事態の収拾を図るために、著作隣接権を強力に推していた中川勉強会の中間まとめ（案）の見直しは知的財産権の専門家の検討に委ねられることになる。同年4月に、知的財産法の第一人者である当時の東京大学名誉教授を始めとする6名の専門家が、「出版者の権利のあり方に関する提言」をまとめ、中川勉強会の場で発表された。その内容は、「当然に発生する隣接権ではなく」「著作者との契約により設定される現行の出版権が、原則として電子出版にも及ぶよう改正」するように「文化審議会で検討する」よう提言するものになっていた。この提言は、経団連の提言と一致するものではなかったが、政治的に推されていた著作隣接権の考え方を否定するという点では、一致していた。

ようやくこれで政治的な介入は排除され、同年5月から文化審議会著作権分科会に出版関連小委員会が設置され、正式な場で検討されることとなった（ちなみに、同年6月に超党派の電子書籍と出版文化の振興に関する議員連盟が設立されているが、小委員会における議論への政治的介入はされていない）。同小委員会では、すべての関係団体からのヒアリングを経て、第7回までの検討を踏まえ、中間まとめ（案）に対してパブリック・コメントが行われることになった。

小委員会の検討で唯一気になっていた点は、権利の主体の議論であった。現行の出版権を有している出版者に主体を限るべきという保守的な意見があったが、電子出版を行うのは既存の出版者に限られないことから、小委員会でも多数の反対があり、中間まとめ（案）では、「現行の出版権を有している出版者に限られず、著作物を電子書籍として電子出版することを引き受ける者であれば権利の主体となれるようにすることが適当であると考える」とされていた。キンドル・ダイレクト・パブリッシングに関してアマゾンが出版権を得たいという議論は社内には一切なかったが、あえてその可能性をつぶすこともなかったので、中間まとめ（案）のこの記述は維持しておきたかった。

もっと大事だったのは、紙媒体での出版と電子出版に係る権利を一体とした制度設計にすべきかどうかという点であった。中間まとめ（案）では、「現行の出版権を電子出版にも拡張する方法と、現行の出版権とは別に、電子書籍を対象とした権利を創設する方法に大きな差はなく、契約の仕方の違いでしかないのではないかとの意見が示された」と記載されており、紙と電子を一体として取り扱う可能性に言及されていた。しかし、電子書籍は紙媒体の出版物を電子化したものだけでなく、紙媒体を発行せず電子書籍のみで流通させる場合もあるし、電子書籍として最初に流通させた上で後日プリントオンデマンドにより紙媒体としても流通させる場合もあるなど、多様な流通形態がすでに現実のものとなりつつあった。法律論として、現行の出版権を電子出版に拡張する方法をとった場合と、現行の出版権とは別に電子書籍を対象とした権利を創設する場合とに大差がなかったとしても、必ずしも法的に知識が十分でない著者が、電子出版は紙媒体と一体的に同一の出版者において執り行わなければならないというような誤解をすることを恐れていた。

この権利の主体の問題については、経団連や電子書籍に積極的な日本漫画家協会からも意見が出ることは予想してはいたが、側面支援しておこうと思い、アマゾンが所属する団体名でも意見を提出した。

その後、同年末に開催された第9回で報告書が取りまとめられた。報告書では、権利の主体・客体や、権利の内容、権利を有する者から第三者への再許諾の可否、権利を有する者が負う義務や当該権利の消滅請求等について整理され、電子書籍に対応した出版権の創設が提言された。紙と電子の一体的な権利としての制度化の考え方についてはかなり軌道修正されていたので安堵していたが、報告書の「はじめに」の箇所に「なお、本報告書では、（略）電子書籍の企画・編集から配信に至る行為をすることを「電子出版」と呼ぶこととする」という新しい文言が加わっていた。この文言の挿入は、著者と電子書籍の配信業者が直接契約する際、「企画・編集」をしていない配信業者が出版権を設定できないようにするために、誰かの要望を踏まえて盛り込まれたと考えた。しかし、当時の著作権法の条文を考えると、「電子出版」の定義を新たに同法内に規定するとは思えず、第七十九条の出版権設定の条文中にある「文書若しくは図画」という用語を拡張して規定するだろうと考えたので、心配はしていなかった。

その後、文部科学省・文化庁において法案提出作業が進められ、翌２０１４年の第１８６回通常国会に著作権の一部を改正する法律案が提出された。条文をチェックしてみると、やはり「電子出版」という新語は設けられておらず、これでキンドル・ダイレクト・パブリッシングのような場合でも、理論的にはアマゾンが出版権を設定することもあり得るだろうと考えた（その後、この点は、法律案の国会審議でも論点になっていく）。

また、紙媒体での出版と電子出版に係る権利の一体化の是非に関しては、条文上は、著作権者が、「文書又は図画として出版すること（ＣＤ－ＲＯＭのような記録媒体に記録された著作物の複製物により頒布することを含む）」または「記録媒体に記録された著作物の複製物を用いてインターネット送信を行うこと」という行為を引き受ける者に対して、出版権を設定することができる、とされていた。

つまり、紙による出版と電子出版の行為を並列して、出版権の設定の規定を設けた形になっていた。この点は、法案の閣議決定後に開催された電子書籍と出版文化の振興に関する議員連盟で問題視されたようで、電子書籍の配信だけを行う（当時、純粋プラットフォーマーと呼ばれていた）業者まで出版権の主体になり得るではないかとの懸念の声が上がったようであるが、時すでに遅しであった。

参戦する必要のない戦い

しかし、閣議決定された法律案の条文をめぐり、純粋プラットフォーマーにも出版権の設定ができるようになっている点について、衆議院でも参議院でも複数の国会議員から質問がなされた。それだけ、一部の利害関係者は、文部科学省・文化庁が内閣法制局と作成した条文案に不満を感じていたものと思われる。

例えば、衆議院文部科学委員会では、中川勉強会の座長であった中川正春衆議院議員は、例えばアマゾンやグーグルなど、自らは企画、編集等を行わないプラットフォーマーについても出版権者となり得る、そうすると、一つの著作物について一つのプラットフォーム限定での配信となってしまう、電子書籍の流通を阻害することになってしまうんじゃないか、との趣旨の質問をしている。これに対して、文部科学大臣は、法律上は、企画、編集を行わない事業者が出版権の設定を受けることがまったくないとは言えない、つまり、アマゾンやグーグルなどが対象にならないかというと、ならないとは言えない、もっとも、現行出版権制度は、出版を引き受け、企画、編集等を通じて出版物を作成し世に伝達するという出版者の役割の重要性に鑑み、特別に設けられたものであるため、従前の紙媒体に係る出版の場合と同様に、電子出版を引き受け、企画、編集等を通じて電子書籍を作成し世に伝達するという役割を担う者が電子出版に係る出版権の設定を受けることが制度趣旨にかなう、という趣旨の苦しい答弁をしている。参議院の文教科学委員会では、電子書籍と出版文化の振興に関する議員連盟の事務局長である同院議員はもっと危機感をあらわにし、5年後の日本の電子書籍市場を想定してみるに、非常に強いプラットフォーマーが多くの著作者と出版権の契約を交わし、電子の部分を市場独占的に席巻してしまう、市場支配力を持って、価格統制力、価格支配力まで持ってしまうと、こういう事態もあり得るんだ、という趣旨の発言をしている。

国会で質問は出たものの、この点については条文修正には至らず、衆議院、参議院とも次のような附帯決議をまとめることで、法律案は国会を通過した。「我が国が世界に誇る出版・活字文化は、著作者と出版を引き受ける者との間の信頼関係に基づく企画から編集、制作、宣伝、販売という一連のプロセスからなる出版事業がその基盤にあることを踏まえ、本法によって設定可能となる電子出版に係る出版権の下でも従前の出版事業が尊重されるよう、その具体的な契約及び運用の在り方を示して関係者に周知するとともに、その実務上の効果について一定期間後に具体的な検証を行い、必要に応じた見直しを検討すること」。

この著作権法の一部を改正する法律は、2014年4月25日に成立し、翌15年1月1日から施行されている。あれから9年、電子書籍、電子出版ビジネスは、社会問題化していた海賊版サイトの閉鎖以降、確実に成長している。しかし、当時、一部の利害関係者が国会議員を動かして問題視していたようなプラットフォーマーへの出版権の設定が現実の問題になったのであろうか。答えは否だと断言する。

やはり、この電子書籍に関する出版権を巡るロビー活動には、参戦する必要はなかったのである。

この章のまとめ 「Are Right, A Lot」——グローバルにロビイングの経験を共有する

以上、テックラッシュ時代のロビイングの事例として、8つの過去のケースを取り上げた。記憶を思い起こしながら、関係者の方々に差支えがない範囲で書いたつもりではあるが、い

ずれの話もリアルなものである。私のアマゾン在籍中には、上記に紹介した８つのケース以外にも多数の事案があったし、今でも進行中のものもある。

先に、動的なロビイングに必要な人材について紹介したが、もう一つ加えるならば、多種多様の経験を数多く積んでいるというのも望まれる人材の要件である。これは公共政策チームに限らず、アマゾニアン共通の要件でもある。アマゾンのリーダーシップ・プリンシプルの中にある「Are Right, A Lot」（リーダーは多くの場合、正しい判断をくだします。そして、優れた判断力と直感を備えています。リーダーは多様な考え方を追求し、自らの考えを反証することもいといません）がそれを示している。ただ、現実問題としては、一人の人間が限られた時間の中で多種多様の経験を積むのには限界がある。そうであるからこそ、世界中で進行中のロビイング案件について、自国の案件かどうかにかかわらずアマゾンの公共政策チームの全員がそれらの経験を共有し、積極的に学び合うことが強みになる。なぜならば、主要国の政策立案者自身もさまざまなチャネルを通して他国の政策について学び合っているからである。

第5章

ロビイストから見た日本の弱点

前章で私がアマゾン在籍時代に行ったロビイングを、いくつか具体的に紹介した。ここで紹介しきれなかったものも多数あるが、一連の活動を経験して感じたことがあるので本章でまとめてみたい。

本書のはじめに少し先出ししたが、ポスト・テックラッシュの時代を迎えるに当たって、私は日本の成長戦略として官民双方が取り組むべき課題があるように感じている。これから述べる私の問題意識を前提に、成長戦略として取り組むべき課題についての私の拙い考えは次章で述べてみたい。

成長戦略に最も必要なのは企業経営の改革

毎年6月に政府が取りまとめるいわゆる骨太の方針は、最近では骨太の国家戦略というよりも、各方面からの陳情なども背景にした個別の政策課題をまとめたハンドブックのような性格になっているような気がして仕方がない。が、その中には停滞する日本経済の再生や企業の国際競争力の向上に向けた政策課題も数多く並んでいる。昭和の時代から比べれば、近年、サプライチェーンの強靭化やスタートアップの推進を含めた事業環境の整備など、企業にとっては国際的にみても遜色のない対策が講じられてきたと理解している。

しかしながら、結果として、「世界で成長するような企業が日本から生まれてきたのか」「真のユニコーン企業と呼ばれる企業が誕生してきたのか」と問われれば、テックラッシュ時代に注目を浴びるのは米国企業や中国企業ばかりであることを見ても散々な結果である。

私のアマゾン在籍中の経験からみると、この日本の競争力の低下は政府による政策の失敗ではなく、企業の経営の問題に負うところが大きいのではないかと思う。つまり、世界的な成長企業と停滞に悩む日本企業とを比較した際に、政策や法制度の問題によって解決できる余地はさほど大きくはなく、企業自らが経営改革に本気で取り組まないと、このギャップは埋められないのではないかと痛感している。

ここでいう経営改革という意味は、下記の諸点をはじめ、いろいろな要素を含んで使っている。

- 経営者など企業内のシニアリーダーシップの資質。
- 生産性を高め革新的な取組を奨励する仕組み。
- 企業のミッションと社員の行動方針を一致させ、全社員のエネルギーを最大化させる取組。

- 社内での情報やナレッジの共有化の仕組み。
- 事業を世界規模でスケールする、またはユニークなものにする方法。
- 徹底して人手を避けオートメーション化する工夫。
- 社員が自発的により高みをめざすための仕掛け。

また、経営改革上の視点としては、本書で取り上げてきたように、公共政策チームが企業の経営戦略上にきちんと位置づけられているかという点ももちろん含まれる。

一つ具体例を挙げれば、アマゾンでは偽ブランド品の検出や物流センターにおける梱包資材の選択など、広範な分野で機械学習技術を取り入れ、なるべく人手をかけずにシステムが最適解を導きだせるように日々、取組が進められている。だが、話を聞いている限りにおいては、日本企業の中にはまだまだ体力勝負を重視する傾向が払拭できていないのではないだろうか（余談であるが、偽ブランド対策に何名の社員を充当していますか、と平気でアナログな質問をするメディア関係者の意識改革も同時に必要であろう）。

政府による政策や法制度の改革だけでは経済の再生や企業の国際競争力の強化は実現できない。経営者自身が現場の隅々まで掌握し経営改革に取り組み、世界で通用する企業運営をする必要があると思う。

経営者が取り組むべき課題は数多《あまた》あるが、一つ賃金体系の問題を例にとれば、テック企業は、優秀な人材を獲得するために、同業他社で働いている同様のジョブレベルの社員らの報酬をベンチマークし、それを上回る報酬を提示することで熾烈な引き抜き合戦を行っている。政府から言われるまでもなく、日本の経営者にも、これまでの年功序列の考え方を打破し、ジョブ型の採用活動と報酬を用意するリーダーシップが求められている。

ただし、同時に労働市場が本格的に流動化する仕組みが導入されないと、企業内の人材の新陳代謝は進まず、経営者もリスク回避のために非正規雇用や協力企業に依存する体質をあらためることができない。いくら内閣総理大臣が経済団体のトップに口頭で賃上げを依頼しても、効果は限られる。政府が真に労働市場を流動化できる改革を行えば、経営者は高い報酬を払ってでも旺盛な採用活動を自然に行うものである。日本の労働移動の円滑度は主要国と比較して低く、企業間の労働移動が円滑である国ほど国の労働生産性や生涯賃金の上昇率が高いことはすでにデータで明らかになっており、待ったなしの問題になっている。

ルール形成プロセスに長けた人たちだけの世界

前章で述べた数々のロビイング活動にどのような感想を持たれたであろうか。ロビイングという言葉につきまとう裏工作のようなよろしくないイメージを再確認された方も多いのではないかと思う。私自身そのような悪いイメージを持たれることを修正するつもりはない。なぜならば、今のルール形成のプロセスでは、ロビイングできる能力のある組織とそうでない組織との差が生じているという気がしてならないからだ。

取引透明化法のケースや取引ＤＰＦ消費者保護法のケースで述べたように、ロビイングできる組織は、どのタイミングで誰にどのような論法でインプットすれば良いのかを熟知している。だが、そうでない組織はロビイングできるという認識自体を持ち得ず、またその作法も知らない。これはロビイングできるための知識や能力がないことが問題なのではなく、現状のルール形成のプロセスの中に誰しもが意見を言える仕組みが組み込まれていないことが問題であるように思う。

試験・研究用の無線設備の利用の迅速化のケース、置き配の社会的受容のケース、金融機関のクラウド利用のケースについては、外資系企業に所属する私が政府関係者に働きかけて政府側が検討に動き、その後日本の企業にも検討の場に出席するよう声がかかるという構図であった。結果的に、内資も外資も含めてすべての業界関係者がそろって検討の場についたことは歓迎すべきであるが、理想を言えば、外資系企業ではなく内資系企業が口火を切っても良かったのではないかと思う。もしルール形成プロセスが開かれているものであるとのメッセージが広く届いていれば、日本の企業からも積極的に声が上がっていたのではないかと思えて仕方がない。

一方、現状のルール形成プロセスにおいては、政府が事務局を務める審議会や検討会等の場が存在するが、その構成員の実質的な任命は事務局である省庁の担当部局の裁量で行われている（形式的な任命は大臣や局長が行う）。多くの構成員については、決して十分とは言えない手当が支給されているだけであるにもかかわらず、事前の検討資料の読み込みや会議開催時などに多くの時間を割かれ、熟慮の上示唆に富んだ意見を提出されていることに敬意を表したい。

しかしながら、メディア関係者が構成員になっている場合に、公知になっていない情報が当該メディアから報道されたり、民間企業に所属する構成員が、結果的に自社製品のマーケティングにプラスになるような政策誘導につながる意見を述べたりするようなことも耳にする。構成員の任命に当たっては、慎重な検討が求められることは言うまでもないが、そもそも審議会や検討会という限られた場でルール形成について議論が進んでいくことに疑問を感じないでもない。

もちろん審議会や検討会の場で、構成員以外の第三者からの意見を聴取するヒアリングが行われることはよくある。だが、ヒアリング先を決めるのは事務局であって、誰にでも意見陳述の機会を与えられる訳ではない。国会における参考人質疑も同様である。また、後述するが、パブリック・コメントという制度はあるものの、行政手続法において命令等を定めようという場合に広く一般の意見を求めなければならないとされているものであって、形式的かつ限定的なものになってしまっている。

本来、ルール形成のプロセスをもっとオープンなものとし、誰もが早い段階で情報を政策立案者に届けられる仕組みが望まれるのではないかと思う。もしそのような仕組みができるのであれば、巷間言われているような霞が関の情報収集能力の低下の解決にもつながるのではないだろうか。

処方箋規制が沁みついた体質

試験・研究用の無線設備の利用を迅速化したケースや、金融機関のクラウド利用のケースで触れたように、特定分野のルールを一つ改革するために要するコストとエネルギーは政策立案者にとっても事業者にとっても大変大きいものがある。

私がアマゾン在籍中に規制改革で手がけた案件は、これらのケースにまったく限られず、他にも大がかりなものから非常に細かいものまで多数あった。

他方、私の力不足で未だに実現していないものもある。

例えば、2013年の改正薬事法（当時）により一般用医薬品をインターネット販売できるようになったが、当時のロビイングが不調に終わり、その販売のためには購入者が容易に出入りできる薬局が必要で、薬局であることが外観から明らかであることが厚生労働省令である薬局等構造設備規則で求められている。これは一般用医薬品のインターネット販売に関する規制改革の議論が佳境を迎えていた頃、規制改革に慎重な立場の人たちが既存の薬局の構造にこだわったために、このようなルールが残ってしまったのだ。もちろん、医薬品の取扱場所を明るく清潔に保つなど医薬品を安全に取り扱うためのルールは必要であるが、実態上インターネット専業になっている場合にまで、購入者の物理的な来店対応のコストを負わせるのは合理性がない。

細部にわたる、場合によっては不合理とも言える規制のコンプライアンスコストを負担に感じている企業は少なくない。政府が設けている規制改革・行政改革ホットライン（縦割り110番）の受付件数は、最近減少傾向にあるとはいえ、2022年度も470件に上っている。どうして企業側がそれほど規制改革をお願いしないといけないような事態が発生するのだろうか。

そもそも日本の企業法務で取り扱うような法令は、法律自体の規定は骨格しか書かれていないものが多く、法目的も「国民生活の向上」とか、「国民経済の健全な発展に寄与する」とか非常に抽象的なものが多い。一方で、政令、省令、告示、通達、ガイドラインといった形で具体的な規律は法律よりも下位法令に委ねられることが多く、その全貌を把握するのもままならない場合がある。通達やガイドラインの中には、法的拘束力がある規律なのか、それとも法的拘束力のないガイダンスなのかも判然としないものもある。

また、特に厚生労働行政や保安・安全行政に顕著なのが、担当省庁から具体的な行政事務を担う都道府県や市町村宛てに出されている通達の中に規律が記載されているものが多く、それらがすべて担当省庁のホームページ上に分かりやすい形で掲示されていない場合が多い。酷い場合には、内規として公開もされておらず、規制を受ける事業者にとっては予見可能性がないものもある。そして、それらの規律の中には、特定の技術、手段、手法を処方箋のように求めるものが多く、技術の進展によって規律が陳腐化していてもそのまま放置されている。

一つ例を挙げれば、通信販売では、消費者が売買契約を申し込んだり、締結したりする場合であっても、商品の引渡しを受けた日から数えて8日以内であれば、消費者は契約申込みの撤回や解除ができ、消費者の送料負担で返品ができるのであるが、事業者が広告であらかじめ契約申込みの撤回や解除について特約を表示していた場合には、その限りではないこととなっている。その特約（返品特約と呼ばれる）の表示についてのガイドラインが政府から示されているのであるが、広告種類別（カタログなどの紙媒体、インターネット、テレビ、ラジオ等）に非常に細かい表示方法が記載してあり、インターネットの場合、「パーソナルコンピューターの場合において標準設定で12ポイント以上の文字で表示する」などと記載されており、スマートフォンやタブレットでの利用が想定されていない。なぜならこのガイドラインが出されたのが十数年前のことで、当時はスマートフォンやタブレットよりもパソコンからの通信販売利用が主だったからである。今ではスマートフォンやタブレットからの利用が多く、ボイスアシスタントを使って音声でも通信販売が利用できる時代になっているにもかかわらず、このガイドラインは改訂されず放置されたままである。

だから早々にガイドラインを改訂すべし、と申し上げているのではない。むしろ特定の技術、手段、手法を処方箋のように求める規律は、特にテック産業の場合には無理があるということである。例に出した通信販売の返品特約の問題は十数年前のことであるが、政府部内のルール形成のプロセスの中で特定の技術、手段、手法を処方箋のように求めがちな体質は今でも健在だ。

最近の例で言えば、２０２２年に成立した電気通信事業法の一部を改正する法律において新たに規律が設けられた、利用者に関する情報の外部送信の問題がある。これは、ウェブサイトやアプリを利用する際に、ウェブサイトに設置されたタグや、アプリに設置された情報収集モジュールなどのプログラムにもたらされる情報送信指令通信により、利用者のスマートフォンやタブレットなどの端末設備が有する情報送信機能を起動させ、利用者の意思によらずに、利用者に関する情報をその利用者以外の者に送信させようとするときに、その利用者に対して適切な確認の機会を付与しないといけないというものである。

改正法の条文では、利用者の同意を取得したり、オプトアウトの措置を講じたりしないのであれば、利用者に通知するか、利用者が容易に知り得る状態に置かなければならないとされている。そして、どのように通知または容易に知り得る状態に置くのかは総務省令によるとされ、その省令に規定された内容をさらに解説するガイドラインまで出されている。

専門家でさえ容易に正確に理解することが難しい今回の規律について、法の適用関係をはっきりさせるという意味で省令やガイドラインにより規制当局から考え方が示されることは良いとしても、通知または容易に知り得る状態に置く方法を特定することは、事業者の創意工夫の余地をなくすものであり、産業界としては最後まで目が離せなかった。

なぜルール形成において、行政は特定の技術、手段、手法を処方箋のように定めようとするのだろうか。

その最大の理由は、公務員の「無謬性志向」体質にあると私は思う。それは、ルールを決める以上、事故やトラブルなど何らかの過ちが発生することを１００パーセントの確率で事前に防がねばならないという、ある種の使命感から来るものであろう。

また、審議会や検討会などの政策検討の場の構成員も、自らが持つ専門的知識やある種のこだわりにより、公務員の「無謬性志向」をさらに強固なものにしてしまう発言をしがちである。これらの構成員も新陳代謝が進まないので、公務員を「無謬性志向」から解放してあげるような発言をする者が出てこない。得てして、政策検討の場では、「無謬性志向」に向かって一直線の議論が進行してしまい、誰も異を唱えることができなくなってしまう。社会的に個人情報の漏洩《ろうえい》や人身や財産に関わる事故などが起きればなおのこと、メディアの論調によりさらに「無謬性志向」が強化される。

実は、「無謬性志向」とわざわざ表記したのは理由がある。仮に特定の技術、手段、手法を処方箋のように求める規律でなく、原理原則を記載し、要求するパフォーマンスを規定する規律であっても、何ら過ちを許容する訳でもないので無謬性に反しないと思う。つまり、処方箋のような規制から逸脱するのは無謬性に反することではなく、無謬性に反するのではないかと不安に感じているだけの「無謬性志向」をしているだけなのである。このような問題が存在することを国会議員は認知していないし、認知していたとしても行動を起こすことは稀である。これまでの日本で形成された膨大なルールの相当数は、「無謬性志向」のマインドセットによって積みあがって来たのではないだろうか。

ある種の「空気感」によって政策立案が進んでいないか

本書の冒頭で述べたように私はアマゾンを礼賛するつもりはないし、他のテック企業も含めて外資系企業を擁護するつもりもない。一方で、安全保障上の懸念がないという前提で、日本において投資もし、雇用もし、納税もしている外資系企業を敵視する考えにも与しない。

第４章の越境役務取引に係る消費税のケースや、電子書籍に対応した出版権のケースで触れたが、この国ではときどき外資系企業に対するある種の「空気感」が政策立案者の中に漂うように感じられる。その「空気感」はメディアによる論調が牽引することによって国会議員の中に漂うことが多いと思われるが、その「空気感」が永田町および霞が関界隈のエコーチェンバー内で広がり、政府職員の中にも日本の成長戦略のために何か政策面で対応しなければならない、いや対応することこそが解であるという雰囲気になってしまう。

また、有識者と呼ばれるインフルエンサーの中にも、ポジショントークをして政府職員の背中を押してしまう者が出てくる。海外から巨大なテック企業が日本市場に進出してくることへのなんとなくの不安感が、メディアと政策立案者とインフルエンサーの間を駆け巡る。

例えば、国会の本会議や各委員会において、国会議員がアマゾンに対してネガティブな発言を行った記録を見ると、メディアを端緒とする「空気感」の存在が一定程度分かる。議員の発言は、報道された内容を取り上げることが多いからだ。国会会議録検索システムで過去の発言を見てみると、アマゾンに対してネガティブな発言が始まるのは２０１３年で、それ以前には見当たらない。17年までは年間数件の単位であるが、18年と19年には発言件数は10件を超え、その後は以前と同様の数に減少していく。

18年と19年に発言が増えたのは、力の強いテック企業からの弱者保護という観点から行われたものであり、具体的には出版者や著作者の保護、取引先や販売事業者に対する優越的地域の濫用の疑い、地域の商店街の疲弊、ドライバーの過酷労働や交通安全上の懸念といった発言が多い。また、最近の発言の傾向としては、消費者の安心・安全に関するものが見られ、具体的には商品の高額転売、製品起因の事故に関するもの、サブスクリプション契約の解約をしにくくするダークパターンの問題に関する発言である。

真摯に傾聴すべき発言もあるが、アマゾンが租税回避し、日本で法人税を納めていないという事実に基づかない発言も恒常的に見られる。ちなみにネガティブな発言を行う議員は、一部与党に所属する議員にも見られるが、ほとんどは野党に属している。

政府のほうでは、18年のいわゆる成長戦略「未来投資戦略２０１８」に初めてデジタルプラットフォーム（ＤＰＦ）／プラットフォーマーという用語がルール整備の対象として登場し、19年の経済財政運営と改革の基本方針と成長戦略実行計画でＤＰＦ対策が一丁目一番地に位置づけられた。その結果出来上がったのが取引透明化法であることは第４章で述べたが、果たしてそれは成長戦略として意味があったのであろうか。

この法律により、ＤＰＦを運営する事業者がなお一層のこと販売事業者やアプリ開発者に対して、より丁寧なきめの細かい対応をするという観点では意味があったと思う。だが、元来、ＤＰＦは販売事業者やアプリ開発者からの信頼を得ないと成立しないビジネスであり、信頼が得られなければ市場からの退出を迫られる。ＤＰＦには、販売事業者やアプリ開発者の成長を自然と求める性質が内在しているのである。

むしろ、共同規制という名の下に導入された日本独自のモニタリング・レビューという仕組みによって、規制当局により裁量的な行政が安易に行われることになってしまった。法律の条文では、デジタルプラットフォームを運営する事業者の自主的かつ積極的な取組が基本であって、国の関与を必要最小限にすると明文化されている。それにもかかわらず、規制当局は処方箋規制が沁みついた体質から改善できず、特定の取組を事業者側に求める傾向にある。場合によっては、取引透明化法の範囲を超えているのではないかと思われる要求まで出てくる。

実際、これらの問題点は、在日米国商工会議所からも経済産業省に対して懸念が表明されている。また、規制当局のＤＰＦに対する知識不足も相まって、日頃のＤＰＦ側の行政対応コストも増大している。共同規制というのは、規制当局側がスマートであれば成立する仕組みかもしれないが、規制当局側に十分なリソースや知識がない場合は、悲惨な仕組みになってしまう。規制対象となっている各ＤＰＦの運営事業者からは、毎年、ボリュームのある報告書が提出されているが、レビューする側の消化不良になっていやしないかと思わざるを得ないこともある。生成ＡＩの分野で同じ轍を踏まないことを願うばかりである。

さらに、この取引透明化法の対象は、一定の規模以上の総合物販オンラインモール、アプリストア、メディア一体型広告ＤＰＦ、広告仲介型ＤＰＦとなっているが、一体どのような状態になればこれらのＤＰＦは対象から外れるのかという出口戦略についてはまったく議論されていない。

２０２３年の骨太の方針の中ではＤＰＦに関する記述はほぼ見られず、Ｗｅｂ３・０だの、トークンだの、ＡＩだのと目新しい技術の言葉が並ぶ。政府の中枢部は、ＤＰＦにもう関心がなくなったかのようである。過去の政策を評価しないままに目新しいことに先走るのではなく、ここ数年のＤＰＦを巡る政策が成長戦略として功を奏したものであったのかどうか、検証すべきではないだろうか。そうでなければ、どんどん積み上がっていくばかりの政策の実務に追われている行政の現場が悲鳴を上げないだろうか。

過去にも、第５世代コンピュータプロジェクト、シグマ計画、情報大航海プロジェクトなど、外資の〝仮想敵〟を想定したいわゆる日の丸プロジェクトがあった。現に私自身、通商産業省に入った当時、第５世代コンピュータプロジェクトの担当者として、コンピュータ業界の世界の巨人に立ち向かうべく、ある種の「空気感」に何らの疑問も感じずに当時の大蔵省に莫大な予算要求をしていたものだ。あの行政コストが一体どんな成果を出したのか、恥ずかしながら今の自分には答えられない。

近年のテックラッシュによる「雰囲気」から生まれてきたような政策は、将来どのように評価されるのであろうか。電子書籍に対応した出版権のケースを振り返ってみても、政府の懇談会の場で、出席していた副大臣や政務官が、生々しい言葉遣いで、このままでは資本力を持つ海外からの新しい波にさらわれてしまい、表現の多様性を毀損《きそん》することになってしまうと挨拶されたことは述べた。これを皮切りに、かなりの時間とコストをかけて結果的に著作権法が改正され、いわゆる電子出版に対応した出版権ができた訳であるが、この政治的な政策の成果物が果たして海外からの新しい波に対抗するような手段になったのであろうか。

文化庁は最初からそのような意図はなく、あくまでも電子書籍の流通と利用の促進と出版物に係る権利侵害への対応という観点から議論を進めていたと信じているが、当時の副大臣や政務官の政治的な発言と最終的に出てきた政策の結果のギャップを感じざるを得ない。

第4章では触れなかったが、もう一つギャップを感じる事例を紹介すると、取引透明化法の制定前に2019年3月に行われた自由民主党競争政策調査会によるアマゾンに対するヒアリングの際の出来事である。議題は透明性・公正性を確保するための取扱いおよび個人データの取扱いについてであったにもかかわらず、出席した自民党議員の中からアマゾンは日本で法人税を納めているのかという質問があった。私からは、アマゾンは日本の法令に基づいて適切に納税していること、日本における物販事業についてはアマゾンの米国法人ではなく私が所属しているアマゾンジャパン合同会社が行っていることも補足的に説明した。

調査会終了後、何名かの議員が私のところに来て、2018年の税制改正の際に、恒久的施設関連の規定の見直しの中でアマゾンの日本の倉庫も恒久的施設に位置づけられるようにして党内で議論していたのだが、てっきり米国のアマゾンが日本で物販事業を行っているものだとばかり思っていたが違っていたのか、と言っていたのが今でも印象に残っている。

税制改正の内容自体はＢＥＰＳ（税源浸食と利益移転）プロジェクトの取組に沿うものであり見直してしかるべきだと思うけれども、もしアマゾンの倉庫のためにこの税制改正を行うべきだと党内で議論していたのだとすれば、事実認識自体が誤っていることになる。

何度も述べるように私は外資系企業を擁護するつもりもないし、そのインセンティブもないが、ただ、もし仮にある種の「空気感」が政策立案者やメディアやインフルエンサーに漂うことで、なんとなく合意形成が行われて出来上がる政策があるのであれば、日本がハイコンテクスト文化であるだけに念のために警鐘をならしておきたい。

第6章

ポスト・テッククラッシュ時代の日本

先述したが、２０２３年の骨太の方針には、デジタルプラットフォーム（ＤＰＦ）という言葉はほぼ登場せず、Ｗｅｂ３・０やＡＩという用語が躍っている。ビッグデータのような集合知が価値を生み出すＷｅｂ２・０の時代ではデジタルプラットフォーマーによる情報管理の独占による懸念が生じたとして、自律分散的に処理するＷｅｂ３・０に政策立案者の大きな期待が寄せられている。

ＡＩに関しては、日本は生成ＡＩの基盤モデルの開発面では後塵を拝する中で、むしろ日本の役割としては、生成ＡＩの開発・利用を促進するためのガードレールとしてのリスク対応の検討をリードするために、Ｇ７広島サミットでとった国際的なリーダーシップのモメンタムを維持したいというところであろう。

実際には、有望なスタートアップを率いるエンジニア達の間では、むしろＷｅｂ３・０という用語も使われなくなっている感があることは横に置いたとしても、巨大なテック企業に対するテックラッシュの次に何らかの時代がやってきそうな予感は、多くの人が抱いているのではないだろうか。技術的な側面だけでなく、もっと広い視野に立てば、単にＷｅｂ３・０やＡＩがもたらす局所的な転換点にいるだけではないかもしれない。権威主義的国家からの挑戦に直面し、米国型の民主主義の価値観にどこまで追随するのか再考を迫られ、資本主義の誤謬が指摘されるようになり、国内経済としても持ち寄り経済や地域経済が見直され、コロナ禍のニュー・ノーマル社会を経験するなど、将来歴史的に現在を振り返ると大きな時代の転換点だったと言えるのかもしれないという気さえする。

本書は未来予測をするために執筆している訳ではないので、ポスト・テックラッシュ時代がどのような時代であるのかを予想することは避けるが、これまでのような成長戦略の考え方のままで、次代を迎えることは避けたほうが良いのではないかと思う。

その理由としては、一つには、何よりも今後重要なのは、政策当局の問題ではなく、企業自身が次代の最前線のプレーヤーとして自らの経営方針や経営戦略を磨き上げることであるという点である。

そしてもう一つには、今後ますます複雑化し、不確実性が増していく中で、政策当局の情報収集能力と政策立案能力が低下することを踏まえて、今のうちに政策立案プロセスや規制制度の在り方そのものを見直しておくべきであると考えるからである。

この最終章では、テックラッシュの次代に向けて日本再興のために何をなすべきか、私のアマゾンにおける経験から、いくつか具体的な問題提起を試みたい。

テック企業の経営の秘訣から学ぶ

どんな企業にも栄枯盛衰はあり、アマゾンの成長が永続的に続くと考えている訳ではないのでおこがましいことを申し上げるつもりはないが、アマゾンという企業が米国シアトルのガレージから出発して世界的に成長をとげたことは事実であり、どこにその秘密があるのかを学ぶことは無益であるとは思わない。アマゾンの経営戦略に関するビジネス書は数多あるので詳しいことは他書に譲るが、霞が関からアマゾンに来て、私自身がなるほどと思ったことをいくつか強調しておきたい。これらが少しでも日本企業のシニアリーダーシップの皆様方の考えるヒントになればよいと願っている。

不変の価値の追求

一つは、企業が不変の価値を追求し続けているか、という点である。アマゾンの小売部門の場合には、品揃え、価格、利便性という三つの価値を追求し続けている。変化のスピードが速く複雑化する現代社会が、数十年先にどうなっているのかを正確に予測することは難しいが、不変的な価値に全リソースを投入し、これらの価値を追い求めることはできる。市場セグメントにおけるシェアや、売上高や利益というのはその結果であって、それ自体を目標にすることには意味がない。

念のために付言するが、私は、どんな小売業にとっても品揃え、価格、利便性が追求すべき不変的な価値であるとは思わない。また、どんな企業も米国流の事業スケールを追求するような不変的な価値を設定すべきとも思わない。それぞれの企業が、考えに考え抜いて独自の不変的な価値を同定して経営を行うことが肝要であると思うし、それは政府が手を出す領域ではない。

お客様起点で考える

二点目に取り上げたいことは、自社の製品やサービスがどういう社会や生活をもたらすようになるのかを社員が共有しているかという点である。アマゾンには、ワーキング・バックワーズという全社員に徹底された考え方があり、企画提案する製品やサービスによってお客様はどのような体験ができるのかを記載したプレスリリースとFAQ（よくある質問）を最初にドラフトして社内で議論を行う。

次に狙うべき市場セグメントはこうだとか、社内の事業ポートフォリオはこうすべきだとか、社内で保有している技術やビジネスモデルをこう生かすべきだとか、競合他社の動向や社会トレンドはこうだから我々もこうすべきだとか、アマゾンにはそのような観点で記載される社内資料はない。あくまでもお客様を起点に考え、そのニーズに応えられるように行動することが社内で徹底されている。

上層部ほど細部に目を配る

三点目は、企業の経営陣と全社員との間で、ミッション、行動指針、数値目標としてのゴール、具体的な行動計画、カルチャーなどが完全に共有され、細部に至るまで定期的（週別、月別、四半期別、長期）にリーダーシップの社員がレビューし、必要があれば見直すような仕組みができているかという点である。

アマゾンではシックスページャーと呼ばれる、6ページにわたり口述的に詳細に記載されている社内文書を使うことがフォーマットとして決まっており、リーダーシップのレビューのために必要なデータや情報を添付することになっている。社内のどんな上層部の会議でもまったく同じフォーマットの文書を使う。私の経験上、上層部ほど経験豊かな社員が多いので細部に至るまで目を配る。役員会用資料として、情報がスカスカのパワーポイントの資料をわざわざ部下に作らせたりしている日本企業は多いのではないだろうか。

ベゾスが警鐘を鳴らした「社会的なれあい」

最後に取り上げたい点は、社内で「社会的なれあい」が発生していないかという点である。これはジェフ・ベゾスが来日した際に直接本人から聞いた話から来ている。

一緒に夕食をとっていた席上で、私の同僚がジェフに対して、過去に世界的に著名であった日本企業の名前を挙げながら、なぜこの企業は衰退したと思うかと尋ねた。ジェフはこの企業への言及は避けつつも、「今、この部屋の天井の高さがどれくらいあるのか社内で議論になったとしよう。ある社員は10フィートくらいではと言い、別の社員は8フィートくらいではと言い、それでは間をとって9フィートにしようという結論になったとする。一方で、まったく別の企業がガレージで天井の高さを正確に測る技術を開発していたら、どうなるか」という「社会的なれあい」の弊害が企業をダメにするという話をした。きっとジェフは、日本企業だけでなく、アマゾンに対しても警告する意味でこの話をしたのだと思う。

他にも、リスクのある経営判断を行う際に、後戻りできるような往復切符（トゥー ウェイドア）の状態であるかを確認することになっているかなど、アマゾンの成長を支えてきた社内の仕組みは多数ある。また、事業部門における課題に限らず、ＤＥＩ（多様性、平等性、包括性）を含めた採用方針、トレーニングやリスキリング、環境・人権などの社会問題への対応においても、テック企業の取組で参考になるものは多いと感じる。すべてを取り上げることが本書の目的ではないのでここで止めるが、今一度、世界的に成長を遂げた企業の経営ノウハウに目を通して、自社の経営方針を振り返ってみてはどうだろうか。

政策形成プロセスに誰しもが意見を言える仕組みに

パブリック・コメントという制度は、行政手続法において命令等を定めようという場合に広く一般の意見を求めなければならないとされているものであって、形式的かつ限定的なものになってしまっていると述べたが、この制度には個人的な思い入れがある。

私は、１９９６年から当時の橋本龍太郎首相がリーダーシップをとった行政改革が議論されていた折り、通商産業省の大臣官房に籍を置きこの行政改革をサポートするチームに属していた。このいわゆる橋本行革では、中央省庁再編のようなハードウェアの改革だけでなく、政策評価機能や公務員制度改革や行政情報の公開などソフトウェアの改革についても議論が行われた。パブリック・コメントもソフトウェア改革の一つであり、97年12月にまとめられた行政改革会議の最終報告で、「各省が基本的な政策の立案等を行うに当たって、政策等の趣旨、原案等を公表し、専門家、利害関係人その他広く国民から意見を求め、これを考慮しながら最終的な意思決定を行う、いわゆるパブリック・コメント制度の導入を図るべきである」とされたのが発端である。

この最終報告では、パブリック・コメントを求めるものの例として、「基本的な政策の樹立、変更」「国民の権利義務、国民生活に影響を与える新たな制度の導入、変更」「国民の権利義務、国民生活に影響を与える行政運営の基本的なルールの設定、変更」「多数の者の権利義務に影響を及ぼす事業等の計画の策定及び変更」が挙げられている。この最終報告を踏まえ、98年に成立した中央省庁等改革基本法第五十条第二項で「政府は、政策形成に民意を反映し、並びにその過程の公正性及び透明性を確保するため、重要な政策の立案に当たり、その趣旨、内容その他必要な事項を公表し、専門家、利害関係人その他広く国民の意見を求め、これを考慮してその決定を行う仕組みの活用及び整備を図るものとする」と規定された。

つまり、パブリック・コメント制度の創設の必要性が主張された当時は、広範な政策について対象とすることが想定されていた。しかしながら、99年の閣議決定「規制の設定又は改廃に係る意見提出手続」において、パブリック・コメントの対象が規制の設定または改廃に関するものに限られた。その後、05年に改正された行政手続法では（この改正により1999年の閣議決定は廃止）、「命令等制定機関は、命令等を定めようとする場合には、当該命令等の案（略）及びこれに関連する資料をあらかじめ公示し、意見（略）の提出先及び意見の提出のための期間（略）を定めて広く一般の意見を求めなければならない」とされ、命令等とは、法律に基づく命令または規則、審査基準、処分基準、行政指導指針とされ、現在でも同法に従ってパブリック・コメント制度が運用されている。

つまり、パブリック・コメント制度の創設に当たっては、広範な政策を対象とすることが想定されていたにもかかわらず、結果としては、かなり限定的な命令等に限って運用されている。

実際に、行政手続法がパブリック・コメント制度の対象としているのは、いわゆる行政立法と呼ばれる「内閣又は行政機関若しくはその機関の職員が、命令、規則又は訓令・通達その他の準則（略）であって公にするものを定める行為であって、処分その他法令を個別事項へ当てはめる行為に当たらないもの」とされており、法律そのものについては対象になっていない。これは国会が、国の唯一の立法機関であり、衆議院および参議院の両議院とも全国民を代表する選挙で選出された議員で組織されているものという考えによる。

しかしながら、政府が国会に提出する閣法については、国会が修正をすることは稀であり、その条文案については政府の審議会や検討会等で議論された内容を踏まえ、担当省庁が内閣法制局と相談して起草する。その過程でパブリック・コメントが義務的に付されることはない。

補足しておくが、行政立法以外のものを任意でパブリック・コメントにかけることは否定されておらず、実際に法案起草の前提となる政府の審議会や検討会の最終報告書案が任意でパブリック・コメントに付される例はあるが、法案の要綱や条文をパブリック・コメントに付すことは私の知る限りない。実際に、第4章で紹介したいくつかの法案成立の過程において、法案の要綱なり条文がパブリック・コメントに付されたことはなく、閣議決定されて初めて条文が公知のものとなる。

また、税制については、政府税制調査会が中長期的視点から税制のあり方を検討する一方で、毎年度与党の税制調査会が税制改正要望等を審議し、与党税制改正大綱をまとめ、その後税制改正の大綱が閣議決定され、国税の改正法案については財務省が、地方税の改正法案については総務省が起草し、国会に提出されるというプロセスを踏むが、パブリック・コメント制度の対象とはなっていない。与党では、政務調査会や税制調査会で、法律案の内容や税制改正大綱の内容が決定される前に審査するプロセスがあるので与党議員は知りうる立場にあるが、国会議員であっても野党は法案の国会提出までは知りうる立場にない。

本来、政策形成のプロセスをもっとオープンなものとし、政策のアジェンダ設定の段階を含め、誰もが早い段階で意見を政策立案者に届けることができる仕組みが望まれるのではないだろうか。

実際、05年に改正された行政手続法の内容に関して検討された行政手続法検討会報告では、「今回の行政立法手続の法制化の検討の中では取り上げなかったものについても、もとより、案を提示し、意見を求め、提出された意見を考慮して決定する手続が否定されるべきではなく、むしろ、その一層の推進、充実をすべきである。したがって、法律案及び行政計画等についても、必要に応じ積極的な処理が望ましい」と言及されている。

また、細かい話ではあるが、行政手続法上は、パブリック・コメントを実施した後には、提出意見（必要に応じて提出意見を整理または要約したものにすることも可能）と、提出意見を考慮した結果およびその理由を公示しなければならないことになってはいるが、個々の提出意見に回答することは義務付けられていない。実際、現状のパブリック・コメント制度では、省庁の担当部局によっては提出意見の回答として、「今後の検討の参考にさせていただきます」といった木で鼻を括ったような回答や、酷いものになると提出意見を並べるだけでまったく個々の回答がなされていないものもある。

行政立法に限らず広範な政策にわたって誰しもがオープンに意見提出を行うことができ、その意見に対する政府の見解が必ず明らかになる仕組みが導入されるのであれば、現状行われているロビイングについては一定の規律が課せられても良いと私は思っている。

前章で述べたように、現在のロビイング活動はルール形成プロセスに長けた人たちだけで行われており、その活動の実態はなかなか外部から知ることはできない。OECD（経済協力開発機構）の調査では、ロビイング活動の透明性や信頼性を高めるために一定の規律を整備する国が増えている中で、日本にはそのような動きがないことが浮き彫りになっている。

今後、ロビイング活動への規律の議論が日本でも本格的に始まるようであれば、政策形成プロセスへのオープンな形での意見提出についても同時に議論することが必要だと思う。

審議会等の検討の場を再整理すべき

パブリック・コメント制度の見直しと併せて、審議会等（国家行政組織法第八条並びに内閣府設置法第三十七条および第五十四条を根拠とする正規の審議会）、懇談会等行政運営上の会合、いわゆる私的懇談会のあり方についても再検討の余地があるように思う。

これらの会合のあり方については、中央省庁等改革の一環として1999年4月に閣議決定された「審議会等の整理合理化に関する基本的計画」によって方針が示されて以来、特にアップデートされていない。もともとこの閣議決定は、先に触れた行政改革会議の最終報告に記載された「審議会（略）や懇談会等行政運営上の会合は、行政の民主化や専門知識の導入において従来一定の役割を果たしてきたが、その数が膨大になり、いわゆる隠れみのになっているのではないかとの批判を招いたり、縦割り行政を助長するなど、その弊害も目立つようになってきている」との指摘がベースとなっている。

しかし今日振り返ってみれば、審議会等が隠れみのになっているとの批判が強かったがために、省庁の担当部局が事務局に徹してしまい、審議会等の構成員のバイアスのかかった意見に振り回される事態が散見される。

具体的には、構成員に事実認識の誤りがあったり、専門的知識の欠如があったり、自らの利益に有利になるような政策誘導の意図があり客観性に欠ける意見が出されたりした場合に、事務局だけで調整することができず、検討されている政策に影響を受ける第三者が強くロビイングし、国会議員や関係団体を巻き込まないと軌道修正されないという事態が散見されるようになっている。

また、最近は、重要な政策を議論する場であるにもかかわらず、座長の一存により会合が非公開となり、会合から数か月経過しても議事要旨が開示されないこともある。99年の閣議決定に立ち返れば、本来、法律や政令で位置づけられている審議会等とは異なり、懇談会等行政運営上の会合は、あくまでも行政運営上の意見交換、懇談等の場としての性格を有するものであり、恒常的な組織ではなく、聴取した意見については、答申、意見書等合議体としての結論と受け取られるような呼称を付さないこととされている。

しかしながら、実態は、第４章で取り上げた取引透明化法のケースや取引ＤＰＦ消費者保護法のケースのように、成長戦略にも取り上げられるような重要な政策について懇談会等行政運営上の会合が担うことは当たり前のようになっている。特に、中央省庁再編以降、官邸機能強化により、内閣官房や内閣府にそのような会合が設けられることが増えているように思う。

99年の閣議決定では、懇談会等行政運営上の会合については、審議会等の公開に係る措置に準ずることとされているが、委員の選任、任期、女性委員の割合については特段の指針が示されていない。私の知る限り政府が統計をとっていないのでデータで示すことはできないが、最近の懇談会等行政運営上の会合を見ていると、先に述べたように選任に疑問を感じる構成員や、かなりの数の会合の構成員を兼務しており一つの会合に限らず延べで考えれば長期間にわたって継続任命されている構成員が散見される他、いまだに女性の構成員も少ない。また、審議会等の構成員が国家公務員として守秘義務を課せられているのに対して、懇談会等行政運営上の会合の構成員には守秘義務はない。

私自身がアマゾン在籍中に行ってきたことを棚に上げるようではあるが、審議会等や懇談会等行政運営上の会合において検討されている政策に影響を受ける第三者が、会合の場外でロビイングをすること自体は本来であれば好ましいことではなく、ルール形成プロセスに誰しもが意見を言える仕組みが整備されれば不要なものである。

その場合、審議会等や懇談会等行政運営上の会合の役割は、行政の民主化を補強し、専門的知識を導入し、行政の公正性・中立性を確保し、社会的な利害の調整などを行うという目的を担うものとして期待される。

また、非常に稀な事例ではあるが、審議会等も懇談会等行政運営上の会合も開催しないままに政府部内で法案が作成されるものもあるので、このような会合での検討を経ることを必要条件とすることも期待される。そのような観点で、99年4月に閣議決定された「審議会等の整理合理化に関する基本的計画」はアップデートし、その結果をフォローアップする仕組みを構築する時期に来ているのではないだろうか。

規制の新設のハードルを上げる

十分な安全保障体制を構築し、少子高齢化に対応する社会保障問題を解決するためにも、構造的に強靭な経済運営をして国を豊かにしなければならない。国富の担い手である企業がダイナミックに新しい事業を生み出せる環境を整備するために、政府が規制改革に不断に取り組まなければならないことは自明である。

しかし、政府の規制改革推進の体制はここ30年近く変わっていない。1994年に行政改革委員会が設置され、翌年に規制緩和推進計画が閣議決定されたことを皮切りに、爾来政府は、第三者機関からの答申を踏まえ、規制改革の推進のための計画を閣議決定するというパターンで規制改革の推進を行っている。これまで第三者機関の名称はさまざま変わっているが（行政改革委員会規制緩和小委員会、行政改革推進本部規制改革（緩和）委員会、総合規制改革会議、規制改革・民間開放推進会議、規制改革会議、行政刷新会議規制・制度改革委員会、規制改革会議、規制改革推進会議）、その権能や時間的なサイクルには多少の差異はあるものの、この規制改革の進め方は本質的には変わっていない。

直近では、スタートアップ・イノベーション、人への投資、医療・介護・感染症対策、地域産業活性化などの個別分野ごとに具体的な規制改革案件を一つ一つ取り上げて審議している。また、デジタル臨時行政調査会による「デジタル原則に照らした規制の一括見直しプラン」を踏まえ、デジタル庁が主導して２０２３年通常国会でデジタル規制改革推進のための一括法も成立した。

累積すればこれまで膨大な数の規制改革案件を手がけてきてはいるが、国際的に見れば日本の成長力の低下に歯止めはかからず、今の規制改革推進会議の構成員にも焦燥感が見て取れる。第三者機関が努力を続けても、規制制定後に見直すだけでは規制のボリュームはなかなか減らない。

１９８５年9月24日の閣議決定「当面の行政改革の具体化方策について」に基づき、政府は許認可等の統一的把握という形で許可等の用語が含まれている条項等を継続的にカウントしているが、２０１８年までその数は増加の一途をたどっている（ちなみに、18年以降はこの統一的把握の作業が行われていない）。規制改革の形は必ずしも許可等の数を減らすだけではないので、その数が増加していることをもって規制改革が進んでいないと言うつもりはないが、許認可等の数やこれが国民生活経済に与えているコストは経年的に行政が必ず把握することとし、規制の新設のハードルを上げないと際限がなくなるだろう。

規制に総量規制を設けるという考えもあって、野党の中には、規制の総量の削減のための2対1ルールを導入すべしと主張する向きがある。これは、規制を新設・強化する場合には、廃止・緩和により減らす規制の個数と、新設・強化により増える規制の個数の比率を少なくとも2対1にすることを求めるものである。着眼点は良いと思うが、うまく制度設計しないとすぐに規制行政に携わる政府職員からごまかされてしまう。

実際、私が経済産業省で保安行政に携わっていた際に、担当している法令上の許認可数が省内でトップクラスであったが、許認可数を減らせとの政府の方針に応えるために、許可等の規定がある複数の条文を一つの条文にまとめる作業を黙々と行った。これだと見かけ上は許可等の用語が含まれる条項の数は大幅に減少するが、規制の強弱には何らの変化もない。

現在は、法律又は政令により規制を新設又は改廃する際には、行政機関が行う政策の評価に関する法律及び同法施行令などにおいて、事前評価や事後評価の実施が義務づけられている（省令以下のレベルの規制については努力義務のみ）。毎年、総務省行政評価局が、各府省の規制に係る政策評価の点検結果をとりまとめて公表しているが、期待されているような結果が出ているとは言い難い。規制改革推進会議の事務局である内閣府規制改革推進室には、各府省が作成した規制の事前評価書が総務省経由で届けられており、同会議における議論に活用すると説明されているが、果たしてどこまで同会議の委員や専門委員の監視下にあるのか疑問である。例えば、第４章で取り上げた取引透明化法についての事前評価書では、規制のオプション比較としてＤＰＦ事業を許可制にするという、より規制の強度の大きい手法と比較して現行制度を正当化しており、各府省から提出されている事前の評価書に第三者が目を光らせているとは想像し難い。

規制改革推進会議の関係者の日頃のご努力には頭が下がるが、いくら規制制定後に規制改革の点検を行ったところで、新しい規制はどんどん積みあがっていく。規制の新設に当たっては、規制改革推進会議のリソースを増やして、強力な発言力のある第三者機関として規制の新設の是非を必ず審査するというメカニズムを設けるべきではないだろうか。

デジタル規制改革推進のための一括法により、新規法令等がデジタル原則に適合していることの確認がデジタル法制審査で行われることになったのは一歩前進ではあるが、規制の新設の審査はデジタル庁がデジタル化の側面からだけ行えば良いというものではない。わざわざ書くまでもないが、ある業務をアナログではなく、パソコンを使うようにすれば良いというのではなく、そもそもその業務が必要なのかを検証するのは民間では当然のことである。デジタル庁と規制改革推進会議が一体になって、過去から政府が掲げてきた「経済的規制は原則自由、社会的規制は必要最小限」「事前規制型の行政から事後チェック型の行政への転換」という大原則の下で、デジタル化だけに留まらない適合性確認を行う体制を構築すべきではないだろうか。

第２次岸田第２次改造内閣によりデジタル行財政改革担当大臣が任命され、規制改革・デジタル改革・行政改革・デジタル田園都市国家構想の司令塔としてデジタル行財政改革会議が設置された。しかしながら、同会議の審議内容を見ていると、教育、交通、介護、子育て・児童福祉、防災などの個別分野の改革案件に議論が終始しそうに思えて仕方がない。新しい看板を掲げるのであれば、分野を問わず、政府が継続的にデジタル行財政改革に取り組むようになるためのメカニズムについても併せて検討されることが望ましいだろう。。

規制改革を政府が自律的に進めるメカニズム

規制改革で極めて効果があるのは、総量規制や規制の新設のハードルを上げるだけでなく、現存する規制を政府自らが自律的に見直すメカニズムの導入である。

民間企業であれば、自社が提供している商品やサービスをローンチ後に見直さないということはあり得ない。消費者からのフィードバックだけでなく、新しい技術の台頭などさまざまな状況の変化に常にアンテナを張り、提供している商品やサービスの機能やスペックを見直したり、場合によってはまったく新しい商品やサービスに切り替えたりする。その場合には、古い商品やサービスを利用していた消費者のアフターケアを行う。当然のことである。

前章で、政府が過去に作り上げてきた処方箋のような数々の規制に対して、企業側が規制改革をお願いしないといけないような事態が続いていると書いた。政府はよほどのことがない限り、過去に自らが作った規制についてそのままで良いのか、見直すべきなのかを自らフォローアップするようなことはしない。規制を受ける側が相当のコストと時間をかけて政府に働きかけることによって、ようやく規制の効果について検証しようかと政府が重い腰を上げる。

国家戦略特区や規制のサンドボックス等の制度があるが、これまでのいずれの規制に風穴を開ける仕組みであれ、規制法を所管している府省が首を縦に振らないと前に進まない仕組みになっており、規制改革を要望するためのエネルギーは相当なものが必要である。このような状況が続く限り、規制見直しの社会的なコストは大きく、ダイナミックに変動する国際経済社会のスピードにはついていけないだろう。

実は、２００９年3月31日に閣議決定された「規制改革推進のための３か年計画（再改定）」において、「規制の新設に当たっては、原則として当該規制を一定期間経過後に廃止を含め見直すこととする。法律により新たな制度を創設して規制の新設を行うものについては、各府省は、その趣旨・目的等に照らして適当としないものを除き、当該法律に一定期間経過後当該規制の見直しを行う旨の条項（略）を盛り込むこととする」と決定されている。確かに、新たに法律を制定する場合には数年後の見直し条項（いわゆるサンセット条項）を附則に盛り込むことは、条項の書きぶりに差異はあれどもそれなりに履行されているし、法律や政令による規制は事後評価の実施が義務づけられていると理解しているが、法律や政令より下位法令による規制の新設に当たっては、はたして一定期間経過後に廃止を含め見直しが行われているであろうか。私の知る限り答えは否である。規制の新設に当たっては、法律や政令のみならず、その下位法令についても、規制当局自身が、一定期間経過後の廃止を含めた見直しを必ず履行し、第三者が必ず点検するメカニズムを同時に導入することが必要であろう。

既存の膨大な規制については、すべての府省の担当部局が規制改革の要望が出てくるのを待っているのではなく、規制改革の信条（テネッツ）に基づいて自律的に現行の規制を常に見直す仕組みが必要であろう。

規制改革の信条とは何か。すでに規制改革推進会議などで議論を積み重ねてきた蓄積があるので、どのような信条が必要なのかを整理することは難しいことではない。例えば、最近の規制改革推進会議の答申では、毎年、「特定の技術・手段などを求める画一的で「事前型の規制・制度」から、技術中立的でリスクベース・ゴールベースの柔軟な「事後型の規制・制度」への見直しを進めていかなければならない」と指摘されている。リスクベース・ゴールベースの規律は、企業がリスクをとりながら革新的なビジネスが行える環境に不可欠なものであり、ここにこそ世界の競争の中での日本経済の再生の鍵があると言っても過言ではない。もし、リスクベース・ゴールベースの規律を悪用する者が市場に登場すれば、事後的に非常に重い制裁を課すことで対応すればよい。各府省の担当部局にリスクベース・ゴールベースの信条が徹底されていれば、仮に、審議会や検討会等の構成員から処方箋を求めるような発言があったとしても、政府の方針として一蹴することができる。

なお、誤解なきように念のため付言するが、リスクベース・ゴールベースの規律というのは、アジャイル型の規律という意味ではない。アジャイル型の政策形成・評価の仕組みは、例えば、新型コロナウイルス感染症のワクチン接種のように先を見通しにくいような状況下でのプロジェクトなどには必要であると思うが、法的な規律自体に安易に持ち込むべきではないと思う。

取引透明化法で述べたように、一種のアジャイル型である共同規制は、規制当局の能力次第では悲惨なことになる。リスクベース・ゴールベースの規律というのは、規律自体がリスクに応じてめざすべきパフォーマンスを求めるものであって、ＰＤＣＡサイクルによって徐々に処方箋規制のようになっていくものではない。

規制改革の推進に係る信条を政府職員に徹底させるためには、閣議で信条を決定し、信条を叩き込むための職員の教育・研修を充実させ、信条への理解を職員の採用・昇進・異動時の判断材料にするようなメカニズムが必要であろう。さらに、各府庁の大臣官房などの総合調整機能を有する部局が、そのメカニズムの有効性を随時チェックするとともに、規制改革推進会議のような第三者機関によるダブルチェックもきかせれば、この国の規制改革は自律的に進んでいくのではないだろうか。

国家の針路と宣言

やや手に負えないサブテーマを掲げてしまったが、本書の最後のメッセージとして受け取っていただければと思っている。日本国にフォーカスして思考する霞が関からグローバル企業であるアマゾンに転じて、日本という国を相対的に捉える局面に多々遭遇した。開拓精神としてのイノベーションを大事にする米国、ノイズを排除し強力な管理の下での繁栄を追求する中国、基本的人権を尊重し統一的なデジタル地域経済を模索する欧州、したたかな戦略で国家の発展をめざすインド――。日本という国はいったいどういうビジョンを持ち、どのような方向に向かっているのか。

アマゾンの公共政策チーム内では、日本という国は「よく分からないけど良い国だよね」とよく言われたものである。日本は、政治家よりも官僚主導で、官僚はそれなりにいろんなステークホルダーからの意見を公正に聴いて、審議会や検討会などの一定の段取りを踏んでから政策をつくっていく。米国のように議会議員がアグレッシブに特定企業をターゲットにしたかのような法案を提出したり、欧州のように極めて理想的な（ハイボールな）公共政策上の提案から議論が出発して右往左往しながら着地点を見出したり、新興国のように突拍子もない政策が突然提案されて明日から施行される、というような事態はこの国では起こらないという意味である。

ただ、前章で触れたように、エビデンスもなしにある種の「空気感」が日本の中にあらわれてきてそれが英語のニュースで世界に配信されたりすると、アマゾンの公共政策チーム内では「やっぱり日本はレベルプレイングフィールド（公正な競争条件）ではないのか」という日本に対する懐疑的な見方が出てくる。日本における公共政策チームとしては、その「空気感」が政府からではなく、一部の政治家から発信されたもので取るに足らないものだとしても、その都度、社内での日本に対する懐疑的な見方を修正することに汗をかくことになる。

一方で、ある種の「空気感」に乗せられて、官僚主導で政策立案がなされることにより戸惑うこともある。担当省庁が縦割りでめざすべき国家像がなければ、その省庁のミッションでしか思考回路が働かないことから、結果として政府から提示される政策が一方向的になり、ややもするとバイアスのかかったものとなる。政府職員も２〜３年で人事異動が行われることから、在任中に目先の問題を片付けようとして近視眼的になってしまう。利用事業者と一般消費者双方の利益を確保する必要がある多面市場であるＤＰＦを、利用事業者の利益の側面からのみ捉えた取引透明化法はその例と言える。デジタルに関する日本の国家像がないままに、つまり個別の政策提案の上位レベルの政策思想がないままに、成長戦略という名の下に各省庁から提案された政策がホッチキスでとめられて閣議で決定されていく。

外国から見ると、サプライズが突然起きる訳ではないし、官僚主導なのでとんでもない政策が提案される訳でもないが、いったいどのような戦略があって何を意図して政策が出来ているのかが分かりづらく、外国企業に対してもフェアな気持ちをもっているのかどうか真意を測りかねる、と見えるのではないだろうか。

現在、政府では円安と経済安全保障上のサプライチェーン強化の観点から、企業の国内投資回復の旗を振って経済界に熱心に働きかけているが、Ｇ20における日本の対内直接投資残高対ＧＤＰ比は世界で最低水準にある。本書で述べたように、外国企業に対する政治家のエビデンスに基づかない発言や、ある種の「空気感」の同調圧力によって出てくる政策や、海外の資本家から見てネガティブなメッセージに見える税制の提案などが出てくる度に、日本という国は外国からの投資を望んでいるのかが分かりにくい国に見えてしまう。

対日直接投資促進に向けて過去から複数の施策が実行されており、現在でも担当部局は知恵を絞りながら有効な策を練っておられることも承知はしている。しかしながら、その都度出てくる対日直接投資政策が些末で細切れなものになっており、日本からの海外に向けた大きく恒久的なメッセージになっていない。

例えば、２０１５年3月に開催された対日直接投資推進会議で決定された「外国企業の日本への誘致に向けた5つの約束」で、日本に重要な投資をした企業が日本政府と相談しやすい体制を整えるために、副大臣等を相談相手につける企業担当制が創設されたが、この制度が今日も機能しており、アップデートされているであろうか。一つ提案したいのは、日本政府からのメッセージとして外国企業からの対日直接投資を呼びかける際に、日本企業との間でレベルプレイングフィールド（公正な競争条件）を約束することを閣議決定し、政府職員に対する信条の一部としても徹底してはどうであろうか。

同時に、国会議員についても、日本国憲法において発言・表決の免責特権があるとはいえ、事実に基づかず民間人（法人・外国法人を含む）に対して誹謗中傷するような発言はしないという国会決議をすることで、外国企業に対するイレギュラーなノイズが国会議員から出てくることを防ぎ、外国企業を安心させてはどうかと思う。その上で、外国企業から見て世界最高水準のビジネス環境や社会生活環境のメニューを用意し、日本は世界で最も満足度が高い国であると認識されることをめざすことが、今求められているのではないだろうか。

おわりに
――人工知能技術によって公共政策業務をスマートにできるか

最後に自分にとっての課題という意味で、一連の公共政策業務を大規模言語モデル（ＬＬＭ）などの機械学習技術によってスマートにできるかという問題を提起して、本書を締めくくりたい。

第４次ＡＩブームとも呼ばれるほどの急速な人工知能技術の進展により、政策課題を検知し、政策の検討状況をモニタリングし、政策立案者や影響力のある有識者の立場を分析し、各ステークホルダーの立場をマッピングするなどの一連の活動を、よりスマートに行うことができるか、という問いである。

公共政策業務に携わる者は、特定の政策課題に関心があれば、メディアの情報に頼らず、自ら一次情報を探して分析し、自らと同調するステークホルダー、あるいは逆に反対の立場をとるステークホルダーを見極め、その政策に関わっているキーパーソンとなる政策立案者や影響力のある有識者（ターゲット）を同定し、そのターゲットに伝えるメッセージや材料を整え、最終的な行動に移すことで仕事をこなしている。

ただ、第4章の事例でお分かりのように、テック企業の公共政策チームであっても、特定の政策に関する事実認識や情勢分析をかなりの時間をかけてマニュアル作業で行っている。政府の審議会や検討会で審議されている検討資料、有識者による発言の内容、政策案に対して各ステークホルダーから提出されている主張やパブリック・コメントで提出されている意見、政府から与党に対して行われている政策案の説明内容、法令の条文案、国会での審議内容、議員連盟の活動内容、野党を含め各党の政策調査会で議論されている内容、議員立法の検討状況、質問主意書の内容など、自ら行おうが、外部の政策コンサルタントに外注しようが、これらの情報収集・分析はマニュアルで行われている。

例えば、公共政策上の判断をする上で必要となるデータセットを準備し、LLMを用いることで、以下のようなツール群を開発することはできないだろうか。

- 特定の政策課題について、過去にどのような検討がされたのか。また、現在はどのような検討のステージにあって、どのような方向性で検討されているのか。今後のタイムラインはどうなっているのかを網羅的に掌握できるツール。
- ある政策課題を推進している政策立案者やそれを支持する、または反対するステークホルダーを明らかにし、関係性をマッピングするツール。
- アドボカシー活動を行う組織の政策提言やパブリック・コメントで出された意見を分析し、特定の政策課題についての各ステークホルダーの主張が一覧できるツール。
- 政府の審議会や検討会に参加する有識者等の過去の発言を分析し、特定の政策課題についての主張の方向性やその変化を明らかにするツール。
- 特定の政策課題についての政治的リスクを最小化するために、国会議員や地方議員の議場内外（ネット空間を含む）での過去から現在に至るまでの発言の中から、特定の政策に対してどのような主張をしているのかを把握できるツール。
- 特定の政治家への働きかけを多方面から実施するために、単なる派閥所属情報ではなく、政治家どうしの関係性や、それぞれの支援者を洗い出し、それらの関係性をマッピングするツール。

- 上記のツールから得られた情報をベースに、人間からのフィードバックによる強化学習（ＲＬＨＦ）を使用して、政策立案者や影響力のある有識者（ターゲット）に伝達するメッセージングを生成するツール。

また、このような事実認識や情報分析を行った後にどのようなアクションをとるかという計画策定は、長年にわたる経験や属人的に蓄積された知識によって行われているのが今日の実態であり、日本に限らず他国でも大差はない。今日の人工知能技術を用いて、誰しもが容易に公共政策業務に必要なインテリジェンスを得て、ベストな活動ができるコンサルティングを受ける仕組みづくりはできないものだろうか。

過去のさまざまな公共政策上の活動の事例のデータベースを深層強化学習システムに学習させて、ターゲットとなるステークホルダーを自動的に同定したり、最適なアドボカシー計画や、アクションプランを自動的に生成したりすることも不可能でないように思う。

なお、ＬＬＭの中には、その利用規約において一定の政治的なキャンペーンやロビイング活動への利用が禁止されているものがあり、上述したアイデアの中には利用規約に抵触するおそれがあるものも含まれる可能性があるので、注意が必要である。

変化が速く複雑で予測困難な現代社会では、政府や資本力のある大企業だけではなく、社会の様々な立場にある組織や個人（マルチステークホルダー）が容易に公共政策業務に関わることのできる環境整備が不可欠である。

人工知能技術によってこのような公共政策業務を支えるインテリジェンス機能やコンサルティング機能ができれば、経済界だけでなく、非営利団体、消費者団体などにとっても利便性の高いものとなる。スタートアップ企業など公共政策業務の経験が浅い組織であっても、誰しもが効果的、効率的な活動を行う指南を受けることができる。ある意味、公共政策業務が〝民主化〟される。また、このようなインテリジェンス機能は、企業のリスク管理やレピュテーション向上にも有用であろう。一般の有権者にとっては、よりスマートな投票行動をするための判断材料が提供できることになるであろう。政策立案に携わる人たちにとっても、良い意味での緊張感が生まれるであろう。

誰もがスマートに行動できる社会をめざして、公共政策業務にしろ、企業のリスク管理にしろ、投票行動にしろ、誰しもがミッションクリティカルな行動に必要なインサイト（洞察）をテクノロジーによって得られる時代が来ることを期待して、本書の締めくくりとしたい。

本書の文責はすべて私に帰属するが、本書を執筆するまでに至り私にさまざまな機会を与えて下さったすべての方に感謝を申し上げたい。最後に、本書を出版に導いてくれた中央公論新社の黒田剛史さんに御礼を申し上げる。

2023年12月

渡辺弘美

本書は書き下ろしです。

装幀／秦　浩司

渡辺弘美（わたなべ・ひろよし）

元アマゾンジャパン合同会社顧問・渉外本部長。世界中のアマゾンで最古参のロビイスト。東京工業大学物理学科卒業後、1987年通商産業省（現・経済産業省）に入省し長年にわたりIT政策に従事。2004年から3年間日本貿易振興機構（ジェトロ）及び情報処理推進機構（IPA）ニューヨークセンターでIT分野の調査を担当。当時、インターネット、ITサービス、セキュリティ分野などの動向を毎月まとめた「ニューヨークだより」を発信し、日経ビジネスオンラインで「渡辺弘美の『IT時評』」を連載。08年にアマゾンに転職。15年間にわたり日本における公共政策の責任者を務めた。24年に公共政策業務をアップグレードするアナリーゼ合同会社を設立し代表に就任。著書に『ウェブを変える10の破壊的トレンド』（ソフトバンククリエイティブ）、共著に『セカンドライフ創世記』（インプレス）がある。

テックラッシュ戦記《せんき》
——Amazon《アマゾン》ロビイストが日本《にほん》を動《うご》かした方法《ほうほう》

2024年1月10日　初版発行

著　者　渡《わた》辺《なべ》弘《ひろ》美《よし》

発行者　安部順一

発行所　中央公論新社
〒100-8152　東京都千代田区大手町1-7-1
電話　販売 03-5299-1730　編集 03-5299-1740
URL　https://www.chuko.co.jp/

DTP　今井明子
印　刷　大日本印刷
製　本　小泉製本

Published by CHUOKORON-SHINSHA, INC.
Printed in Japan　ISBN978-4-12-005729-8　C0034